MY SIDE OF
THE MOUNTAIN

Gorge

tree

Mountain meadow

Gribley Beech

apple tree

house site

walnut tree

cattail supply

My Side of the Mountain

signed S. Gribley

MY SIDE OF
THE MOUNTAIN

written and illustrated by

JEAN CRAIGHEAD GEORGE

PUFFIN BOOKS

PUFFIN BOOKS
Published by the Penguin Group
Penguin Putnam Inc., 375 Hudson Street, New York, New York 10014, U.S.A.
Penguin Books Ltd, 27 Wrights Lane, London W8 5TZ, England
Penguin Books Australia Ltd, Ringwood, Victoria, Australia
Penguin Books Canada Ltd, 10 Alcorn Avenue, Toronto, Ontario, Canada M4V 3B2
Penguin Books (N.Z.) Ltd, 182–190 Wairau Road, Auckland 10, New Zealand

Penguin Books Ltd, Registered Offices: Harmondsworth, Middlesex, England

First published in the United States of America by E.P. Dutton,
a division of Penguin Books, USA Inc., 1959
Published in Puffin Books, 1991

Printed in the United States of America
Set in Times Roman

This book is dedicated to many people—

*to that gang of youngsters who
inhabited the trees and waters of the
Potomac River so many years ago, and
to the bit of Sam Gribley in the
children and adults around me now.*

Contents

AUTHOR'S PREFACE

When I was in elementary school, I packed my suitcase and told my mother I was going to run away from home. As I envisioned it, I would live by a waterfall in the woods and catch fish on hooks made from the forks of tree limbs, as I had been taught by my father. I would walk among the wildflowers and trees, listen to the birds, read the weather report in the clouds and the wind, and stride down mountainsides independent and free. Wisely, my mother did not try to dissuade me. She had been through this herself. She checked my bag to see if I had my toothbrush and a postcard to let her know how I was getting along, and kissed me good-by. Forty minutes later I was home.

When my daughter, Twig, was in elementary school, she told me she was going to run away to the woods. I checked her backpack for her toothbrush and watched her go down the front steps, her shoulders squared confidently. I blew her a kiss and sat down to wait. Presently, she was back.

Although wishing to run to the woods and live on our own seems to be an inherited characteristic in our family, we are not unique. Almost everyone I know has dreamed at some time of running away to a distant mountain or island, castle or sailing ship, to live there in beauty and peace. Few of us make it, however.

It is one thing to wish to go, and another matter to do it. I might have been able to do what Sam Gribley does in this book—live off the land, make a home, survive by wits and library research, for I had the knowledge. My father, who was a naturalist and scientist, taught me the plants and animals of eastern forests and showed me where the wild edible fruits and tubers grew. On weekends along the Potomac River near Washington, D.C., where I was born and grew up, he and I boiled water in leaves and made rabbit traps. Together we made tables and chairs out of saplings bound with the braided inner bark of the basswood tree. My brothers, two of the first falconers in the United States, helped me in the training of a falcon. I had the know-how for surviving in the woods; and yet I came home.

"But not Sam," I said to myself when I sat down at my typewriter and began putting on paper this story, one that I had been writing in my head for many, many years.

The writing came easily—Sam needed a home. I remembered a huge tree my brothers had camped in on an island in the Potomac River. A tree would be Sam's home. And I knew how he would survive when foraging became tough. "A falcon will be his provider," I said to myself.

With ideas coming fast, the first draft was done in two weeks. Five revisions later, it was finished and off to the publisher. Back came a phone call from Sharon Bannigan, the editor of E. P. Dutton's children's book department at that time.

"Elliott Macrae, the publisher," she said, "won't print the book. He says parents should not encourage their kids to leave home."

Discouraged, I hung up the phone and walked out into the woods behind the house. As always when I am in the wildwood, I very quickly forgot what was troubling me. A sentinel crow was protecting its flock by watching the sky for hawks; a squirrel was building a nest of leaves for the winter; a spider was tapping out a message to his mate on a line of her web.

Better to run to the woods than the city, I thought. Here, there is the world to occupy the mind.

The telephone rang. Sharon Bannigan was back on the wire, and she was almost singing. Elliott Macrae had changed his mind. And what, I asked her, had worked the miracle?

"I simply told him it is better to have children run to the woods than the city," she said. "He thought about that. Since he has a home in the wilds of the Adirondack Mountains and goes off there alone himself, he suddenly understood your book. *My Side of the Mountain* will be published in the spring of '59."

From that date to this, I have been answering children's letters about Sam. Most want to know if he is a real person. Some, convinced that he is, have biked to Delhi, New York, from as far away as Long Island, New York, to find his tree, his falcon, weasel, and raccoon. To these and all others who ask, I say, "There is no real Sam, except inside me." His adventures are the fulfillment of that day long ago when I told my mother I was going to run away, got as far as the edge of the woods, and came back. Perhaps Sam will fulfill your dreams, too. Be you writer or reader, it is very pleasant to run away in a book.

MY SIDE OF THE MOUNTAIN

IN WHICH
I Hole Up in a Snowstorm

I am on my mountain in a tree home that people have passed without ever knowing that I am here. The house is a hemlock tree six feet in diameter, and must be as old as the mountain itself. I came upon it last summer and dug and burned it out until I made a snug cave in the tree that I now call home.

"My bed is on the right as you enter, and is made of ash slats and covered with deerskin. On the left is a small fireplace about knee high. It is of clay and stones. It has a chimney that leads the smoke out through a knothole. I chipped out three other knotholes to let fresh air in. The air coming in is bitter cold. It must be below zero outside, and yet I can sit here inside my tree and write with bare hands. The fire is small, too. It doesn't take much fire to warm this tree room.

"It is the fourth of December, I think. It may be the fifth. I am not sure because I have not recently counted the notches in the aspen pole that is my calendar. I have been just too busy gathering nuts and berries, smoking venison, fish, and small game to keep up with the exact date.

"The lamp I am writing by is deer fat poured into a turtle shell with a strip of my old city trousers for a wick.

"It snowed all day yesterday and today. I have not been outside since the storm began, and I am bored for the first time since I ran away from home eight months ago to live on the land.

"I am well and healthy. The food is good. Sometimes I eat turtle soup, and I know how to make acorn pancakes. I keep my supplies in the wall of the tree in wooden pockets that I chopped myself.

"Every time I have looked at those pockets during the last two days, I have felt just like a squirrel, which reminds me: I didn't see a squirrel one whole day before that storm began. I guess they are holed up and eating their stored nuts, too.

"I wonder if The Baron, that's the wild weasel who lives behind the big boulder to the north of my tree, is also denned up. Well, anyway, I think the storm is dying down because the tree is not crying so much. When the wind really blows, the whole tree moans right down to the roots, which is where I am.

"Tomorrow I hope The Baron and I can tunnel out into the sunlight. I wonder if I should dig the snow. But that would mean I would have to put it somewhere, and the only place to put it is in my nice snug tree.

Maybe I can pack it with my hands as I go. I've always dug into the snow from the top, never up from under.

"The Baron must dig up from under the snow. I wonder where he puts what he digs? Well, I guess I'll know in the morning."

When I wrote that last winter, I was scared and thought maybe I'd never get out of my tree. I had been scared for two days—ever since the first blizzard hit the Catskill Mountains. When I came up to the sunlight, which I did by simply poking my head into the soft snow and standing up, I laughed at my dark fears.

Everything was white, clean, shining, and beautiful. The sky was blue, blue, blue. The hemlock grove was laced with snow, the meadow was smooth and white, and the gorge was sparkling with ice. It was so beautiful and peaceful that I laughed out loud. I guess I laughed because my first snowstorm was over and it had not been so terrible after all.

Then I shouted, "I did it!" My voice never got very far. It was hushed by the tons of snow.

I looked for signs from The Baron Weasel. His footsteps were all over the boulder, also slides where he had played. He must have been up for hours, enjoying the new snow.

Inspired by his fun, I poked my head into my tree and whistled. Frightful, my trained falcon, flew to my fist, and we jumped and slid down the mountain, making big

holes and trenches as we went. It was good to be whistling and carefree again, because I was sure scared by the coming of that storm.

I had been working since May, learning how to make a fire with flint and steel, finding what plants I could eat, how to trap animals and catch fish—all this so that when the curtain of blizzard struck the Catskills, I could crawl inside my tree and be comfortably warm and have plenty to eat.

During the summer and fall I had thought about the coming of winter. However, on that third day of December when the sky blackened, the temperature dropped, and the first flakes swirled around me. I must admit that I wanted to run back to New York. Even the first night that I spent out in the woods, when I couldn't get the fire started, was not as frightening as the snowstorm that gathered behind the gorge and mushroomed up over my mountain.

I was smoking three trout. It was nine o'clock in the morning. I was busy keeping the flames low so they would not leap up and burn the fish. As I worked, it occurred to me that it was awfully dark for that hour of the morning. Frightful was leashed to her tree stub. She seemed restless and pulled at her tethers. Then I realized that the forest was dead quiet. Even the woodpeckers that had been tapping around me all morning were silent. The squirrels were nowhere to be seen. The juncos and chickadees and nuthatches were gone. I looked to see what The Baron Weasel was doing. He was not around. I looked up.

From my tree you can see the gorge beyond the meadow. White water pours between the black wet boulders and cascades into the valley below. The water that day was as dark as the rocks. Only the sound told me it was still falling. Above the darkness stood another darkness. The clouds of winter, black and fearsome. They looked as wild as the winds that were bringing them. I grew sick with fright. I knew I had enough food. I knew everything was going to be perfectly all right. But knowing that didn't help. I was scared. I stamped out the fire and pocketed the fish.

I tried to whistle for Frightful, but couldn't purse my shaking lips tight enough to get out anything but *pfffff*. So I grabbed her by the hide straps that are attached to her legs and we dove through the deerskin door into my room in the tree.

I put Frightful on the bedpost, and curled up in a ball on the bed. I thought about New York and the noise and the lights and how a snowstorm always seemed very friendly there. I thought about our apartment, too. At that moment it seemed bright and lighted and warm. I had to keep saying to myself: There were eleven of us in it! Dad, Mother, four sisters, four brothers, and me. And not one of us liked it, except perhaps little Nina, who was too young to know. Dad didn't like it even a little bit. He had been a sailor once, but when I was born, he gave up the sea and worked on the docks in New York. Dad didn't like the land. He liked the sea, wet and big and endless.

Sometimes he would tell me about Great-grandfather Gribley, who owned land in the Catskill Mountains and felled the trees and built a home and plowed the land—only to discover that he wanted to be a sailor. The farm failed, and Great-grandfather Gribley went to sea.

As I lay with my face buried in the sweet greasy smell of my deerskin, I could hear Dad's voice saying, "That land is still in the family's name. Somewhere in the Catskills is an old beech with the name *Gribley* carved on it. It marks the northern boundary of Gribley's folly—the land is no place for a Gribley."

"The land is no place for a Gribley," I said. "The land is no place for a Gribley, and here I am three hundred feet from the beech with *Gribley* carved on it."

I fell asleep at that point, and when I awoke I was hungry. I cracked some walnuts, got down the acorn flour I had pounded, with a bit of ash to remove the bite, reached out the door for a little snow, and stirred up some acorn pancakes. I cooked them on a top of a tin can, and as I ate them, smothered with blueberry jam, I knew that the land was just the place for a Gribley.

IN WHICH
I Get Started on This Venture

I left New York in May. I had a penknife, a ball of cord, an ax, and $40, which I had saved from selling magazine subscriptions. I also had some flint and steel which

I had bought at a Chinese store in the city. The man in the store had showed me how to use it. He had also given me a little purse to put it in, and some tinder to catch the sparks. He had told me that if I ran out of tinder, I should burn cloth, and use the charred ashes.

I thanked him and said, "This is the kind of thing I am not going to forget."

On the train north to the Catskills I unwrapped my flint and steel and practiced hitting them together to make sparks. On the wrapping paper I made these notes.

"A hard brisk strike is best. Remember to hold the steel in the left hand and the flint in the right, and hit the steel with the flint.

"The trouble is the sparks go every which way."

And that *was* the trouble. I did not get a fire going that night, and as I mentioned, this was a scary experience.

I hitched rides into the Catskill Mountains. At about four o'clock a truck driver and I passed through a beautiful dark hemlock forest, and I said to him, "This is as far as I am going."

He looked all around and said, "You live here?"

"No," I said, "but I am running away from home, and this is just the kind of forest I have always dreamed I would run to. I think I'll camp here tonight." I hopped out of the cab.

"Hey, boy," the driver shouted. "Are you serious?"

"Sure," I said.

"Well, now, ain't that sumpin'? You know, when I was your age, I did the same thing. Only thing was, I was a farm boy and ran to the city, and you're a city boy running to the woods. I was scared of the city—do you think you'll be scared of the woods?"

"Heck, no!" I shouted loudly.

As I marched into the cool shadowy woods, I heard the driver call to me, "I'll be back in the morning, if you want to ride home."

He laughed. Everybody laughed at me. Even Dad. I told Dad that I was going to run away to Great-grandfather Gribley's land. He had roared with laughter and told me about the time he had run away from home. He got on a boat headed for Singapore, but when the whistle blew for departure, he was down the gangplank and home in bed before anyone knew he was gone. Then he told me, "Sure, go try it. Every boy should try it."

I must have walked a mile into the woods until I found a stream. It was a clear athletic stream that rushed and ran and jumped and splashed. Ferns grew along its bank, and its rocks were upholstered with moss.

I sat down, smelled the piney air, and took out my penknife. I cut off a green twig and began to whittle. I have always been good at whittling. I carved a ship once that my teacher exhibited for parents' night at school.

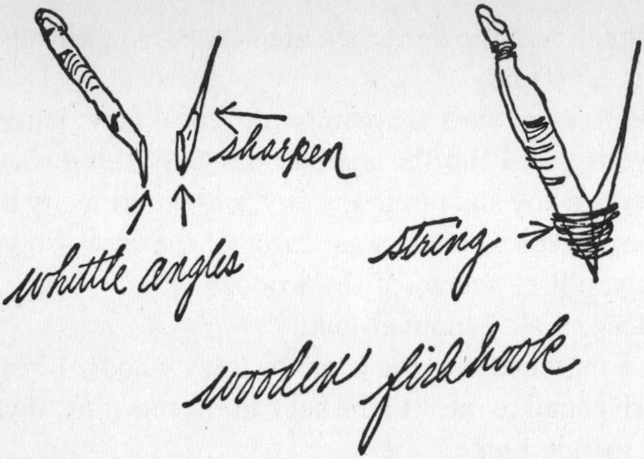

sharpen

whittle angles   string →

wooden fishhook

First I whittled an angle on one end of the twig. Then I cut a smaller twig and sharpened it to a point. I whittled an angle on that twig, and bound the two angles face to face with a strip of green bark. It was supposed to be a fishhook.

According to a book on how to survive on the land that I read in the New York Public Library, this was the way to make your own hooks. I then dug for worms. I had hardly chopped the moss away with my ax before I hit frost. It had not occurred to me that there would be frost in the ground in May, but then, I had not been on a mountain before.

This did worry me, because I was depending on fish to keep me alive until I got to my great-grandfather's mountain, where I was going to make traps and catch game.

I looked into the stream to see what else I could eat, and as I did, my hand knocked a rotten log apart. I remembered about old logs and all the sleeping stages of insects that are in it. I chopped away until I found a cold white grub.

I swiftly tied a string to my hook, put the grub on, and walked up the stream looking for a good place to fish. All the manuals I had read were very emphatic about where fish lived, and so I had memorized this: "In streams, fish usually congregate in pools and deep calm water. The heads of riffles, small rapids, the tail of a pool, eddies below rocks or logs, deep undercut banks, in the shade of overhanging bushes—all are very likely places to fish."

This stream did not seem to have any calm water, and I must have walked a thousand miles before I found a pool by a deep undercut bank in the shade of overhanging bushes. Actually, it wasn't that far, it just seemed that way because as I went looking and finding nothing, I was sure I was going to starve to death.

I squatted on this bank and dropped in my line. I did so want to catch a fish. One fish would set me upon my way, because I had read how much you can learn from one fish. By examining the contents of its stomach you can find what the other fish are eating or you can use the internal organs as bait.

The grub went down to the bottom of the stream. It swirled around and hung still. Suddenly the string came

to life, and rode back and forth and around in a circle. I pulled with a powerful jerk. The hook came apart, and whatever I had went circling back to its bed.

Well, that almost made me cry. My bait was gone, my hook was broken, and I was getting cold, frightened, and mad. I whittled another hook, but this time I cheated and used string to wind it together instead of bark. I walked back to the log and luckily found another grub. I hurried to the pool, and I flipped a trout out of the water before I knew I had a bite.

The fish flopped, and I threw my whole body over it. I could not bear to think of it flopping itself back into the stream.

I cleaned it like I had seen the man at the fish market do, examined its stomach, and found it empty. This horrified me. What I didn't know was that an empty stomach means the fish are hungry and will eat about anything. However, I thought at the time that I was a goner. Sadly, I put some of the internal organs on my hook, and before I could get my line to the bottom I had another bite. I lost that one, but got the next one. I stopped when I had five nice little trout and looked around for a place to build a camp and make a fire.

It wasn't hard to find a pretty spot along that stream. I selected a place beside a mossy rock in a circle of hemlocks.

I decided to make a bed before I cooked. I cut off some boughs for a mattress, then I leaned some dead limbs against the boulder and covered them with hemlock limbs. This made a kind of tent. I crawled in, lay down, and felt alone and secret and very excited.

But ah, the rest of this story! I was on the northeast side of the mountain. It grew dark and cold early. Seeing the shadows slide down on me, I frantically ran around gathering firewood. This is about the only thing

a couple of good shelters — make sure your fire is on scraped earth — also be sure to put it out!

I did right from that moment until dawn, because I remembered that the driest wood in a forest is the dead limbs that are still on the trees, and I gathered an enormous pile of them. That pile must still be there, for I never got a fire going.

I got sparks, sparks, sparks. I even hit the tinder with the sparks. The tinder burned all right, but that was as far as I got. I blew on it, I breathed on it, I cupped it in my hands, but no sooner did I add twigs than the whole thing went black.

Then it got too dark to see. I clicked steel and flint together, even though I couldn't see the tinder. Finally, I gave up and crawled into my hemlock tent, hungry, cold, and miserable.

I can talk about that first night now, although it is still embarrassing to me because I was so stupid, and scared, that I hate to admit it.

I had made my hemlock bed right in the stream valley where the wind drained down from the cold mountaintop. It might have been all right if I had made it on the other side of the boulder, but I didn't. I was right on the main highway of the cold winds as they tore down upon the valley below. I didn't have enough hemlock boughs under me, and before I had my head down, my stomach was cold and damp. I took some boughs off the roof and stuffed them under me, and then my shoulders were cold. I curled up in a ball and was almost asleep when a whippoorwill called. If you have ever been within forty feet of a whippoorwill, you will understand why I couldn't even shut my eyes. They are deafening!

Well, anyway, the whole night went like that. I don't think I slept fifteen minutes, and I was so scared and tired that my throat was dry. I wanted a drink but didn't dare go near the stream for fear of making a misstep and falling in and getting wet. So I sat tight,

and shivered and shook—and now I am able to say—I cried a little tiny bit.

Fortunately, the sun has a wonderfully glorious habit of rising every morning. When the sky lightened, when the birds awoke, I knew I would never again see anything so splendid as the round red sun coming up over the earth.

I was immediately cheered, and set out directly for the highway. Somehow, I thought that if I was a little nearer the road, everything would be all right.

I climbed a hill and stopped. There was a house. A house warm and cozy, with smoke coming out the chimney and lights in the windows, and only a hundred feet from my torture camp.

Without considering my pride, I ran down the hill and banged on the door. A nice old man answered. I told him everything in one long sentence, and then said, "And so, can I cook my fish here, because I haven't eaten in years."

He chuckled, stroked his whiskery face, and took the fish. He had them cooking in a pan before I knew what his name was.

When I asked him, he said Bill something, but I never heard his last name because I fell asleep in his rocking chair that was pulled up beside his big hot glorious wood stove in the kitchen.

I ate the fish some hours later, also some bread, jelly, oatmeal, and cream. Then he said to me, "Sam Gribley, if you are going to run off and live in the woods, you better learn how to make a fire. Come with me."

We spent the afternoon practicing. I penciled these notes on the back of a scrap of paper, so I wouldn't forget.

"When the tinder glows, keep blowing and add fine dry needles one by one—and keep blowing, steadily, lightly, and evenly. Add one inch dry twigs to the needles and then give her a good big handful of small dry stuff. Keep blowing."

THE MANNER IN WHICH
I Find Gribley's Farm

The next day I told Bill good-by, and as I strode, warm and fed, onto the road, he called to me, "I'll see you tonight. The back door will be open if you want a roof over your head."

I said, "Okay," but I knew I wouldn't see Bill again. I knew how to make fire, and that was my weapon. With fire I could conquer the Catskills. I also knew how to fish. To fish and to make a fire. That was all I needed to know, I thought.

Three rides that morning took me to Delhi. Somewhere around here was Great-grandfather's beech tree with the name *Gribley* carved on it. This much I knew from Dad's stories.

By six o'clock I still had not found anyone who had even heard of the Gribleys, much less Gribley's beech, and so I slept on the porch of a schoolhouse and ate chocolate bars for supper. It was cold and hard, but I was so tired I could have slept in a wind tunnel.

At dawn I thought real hard: Where would I find out about the Gribley farm? Some old map, I said. Where would I find an old map? The library? Maybe. I'd try it and see.

The librarian was very helpful. She was sort of young, had brown hair and brown eyes, and loved books as much as I did.

The library didn't open until ten-thirty. I got there at nine. After I had lolled and rolled and sat on the steps for fifteen or twenty minutes, the door whisked open, and this tall lady asked me to come on in and browse around until opening time.

All I said to her was that I wanted to find the old Gribley farm, and that the Gribleys hadn't lived on it for maybe a hundred years, and she was off. I can still hear her heels click, when I think of her, scattering herself around those shelves finding me old maps, histories of the Catskills, and files of letters and deeds that must have come from attics around Delhi.

Miss Turner—that was her name—found it. She found Gribley's farm in an old book of Delaware County. Then she worked out the roads to it, and drew me maps and everything. Finally she said, "What do you want to know for? Some school project?"

"Oh, no, Miss Turner, I want to go live there."

"But, Sam, it is all forest and trees now. The house is probably only a foundation covered with moss."

"That's just what I want. I am going to trap animals and eat nuts and bulbs and berries and make myself a house. You see, I am Sam Gribley, and I thought I would like to live on my great-grandfather's farm."

Miss Turner was the only person that believed me. She smiled, sat back in her chair, and said, "Well, I declare."

The library was just opening when I gathered the notes we had made and started off. As I pushed open the door, Miss Turner leaned over and said to me, "Sam, we have some very good books on plants and trees and animals, in case you get stuck."

I knew what she was thinking, and so I told her I would remember that.

With Miss Turner's map, I found the first stone wall that marked the farm. The old roads to it were all grown up and mostly gone, but by locating the stream at the bottom of the mountain I was able to begin at the bridge and go north and up a mile and a half. There, caterpillaring around boulders, roller-coastering up ravines and down hills, was the mound of rocks that had once been Great-grandfather's boundary fence.

And then, do you know, I couldn't believe I was there. I sat on the old gray stones a long time, looking through the forest, up that steep mountain, and saying to myself, "It must be Sunday afternoon, and it's rain-ing, and Dad is trying to keep us all quiet by telling us about Great-grandfather's farm; and he's telling it so real that I can see it."

And then I said, "No. I am here, because I was never this hungry before."

I wanted to run all the way back to the library and tell Miss Turner that I had found it. Partly because she would have liked to have known, and partly because Dad had said to me as I left, "If you find the place, tell someone at Delhi. I may visit you someday." Of course, he was kidding, because he thought I'd be home the next day, but after many weeks, maybe he would think I meant what I said, and he might come see me.

However, I was too hungry to run back. I took my hook and line and went back down the mountain to the stream.

I caught a big old catfish. I climbed back to the stone wall in great spirits.

It was getting late and so I didn't try to explore. I went right to work making a fire. I decided that even if I didn't have enough time to cut boughs for a bed, I was going to have cooked fish and a fire to huddle around during those cold night hours. May is not exactly warm in the Catskills.

By firelight that night I wrote this:

"Dear Bill [that was the old man]:
"After three tries, I finally got a handful of dry grass on the glow in the tinder. Grass is even better than pine

needles, and tomorrow I am going to try the outside bark of the river birch. I read somewhere that it has combustible oil in it that the Indians used to start fires. Anyway, I did just what you showed me, and had cooked catfish for dinner. It was good.

Your friend,
Sam."

After I wrote that I remembered I didn't know his last name, and so I stuffed the note in my pocket, made myself a bed of boughs and leaves in the shelter of the stone wall, and fell right to sleep.

I must say this now about that first fire. It was magic. Out of dead tinder and grass and sticks came a live warm light. It cracked and snapped and smoked and filled the woods with brightness. It lighted the trees and made them warm and friendly. It stood tall and bright and held back the night. Oh, this was a different night than the first dark frightful one. Also I was stuffed on catfish. I have since learned to cook it more, but never have I enjoyed a meal as much as that one, and never have I felt so independent again.

IN WHICH
I Find Many Useful Plants

The following morning I stood up, stretched, and looked about me. Birds were dripping from the trees, little birds, singing and flying and pouring over the limbs.

"This must be the warbler migration," I said, and I laughed because there were so many birds. I had never seen so many. My big voice rolled through the woods, and their little voices seemed to rise and answer me.

They were eating. Three or four in a maple tree near me were darting along the limbs, pecking and snatching at something delicious on the trees. I wondered if there was anything there for a hungry boy. I pulled a limb down, and all I saw were leaves, twigs, and flowers. I ate a flower. It was not very good. One manual I had read said to watch what the birds and animals were eating in order to learn what is edible and nonedible in the forest. If the animal life can eat it, it is safe for humans. The book did suggest that a raccoon had tastes more nearly like ours. Certainly the birds were no example.

Then I wondered if they were not eating something I couldn't see—tiny insects perhaps; well, anyway, whatever it was, I decided to fish. I took my line and hook and walked down to the stream.

I lay on a log and dangled my line in the bright water. The fish were not biting. That made me hungrier. My stomach pinched. You know, it really does hurt to be terribly hungry.

A stream is supposed to be full of food. It is the easiest place to get a lot of food in a hurry. I needed something in a hurry, but what? I looked through the clear water and saw the tracks of mussels in the mud. I ran along the log back to shore, took off my clothes, and plunged into that icy water.

I collected almost a peck of mussels in very little time at all, and began tying them in my sweater to carry them back to camp.

But I don't have to carry them anywhere, I said to myself. I have my fire in my pocket, I don't need a table. I can sit right here by the stream and eat. And so I did. I wrapped the mussels in leaves and sort of steamed them in coals. They are not quite as good as clams—a little stronger, I would say—but by the time I had eaten three, I had forgotten what clams tasted like and knew only how delicious freshwater mussels were. I actually got full.

I wandered back to Great-grandfather's farm and began to explore. Most of the acreage was maple and beech, some pine, dogwoods, ash; and here and there a glorious hickory. I made a sketch of the farm on my road map, and put *x's* where the hickories were. They were gold trees to me. I would have hickory nuts in the fall. I could also make salt from hickory limbs. I cut off one and chopped it into bits and scraps. I stuck them in my sweater.

The land was up and down and up and down, and I wondered how Great-grandfather ever cut it and plowed it. There was one stream running through it, which I was glad to see, for it meant I did not have to go all the way down the mountain to the big creek for fish and water.

Around noon I came upon what I was sure was the old foundation of the house. Miss Turner was right. It was ruins—a few stones in a square, a slight depression for the basement, and trees growing right up through what had once been the living room. I wandered around to see what was left of the Gribley home.

After a few looks I saw an apple tree. I rushed up to it, hoping to find an old apple. No apples beneath it. About forty feet away, however, I found a dried one in the crotch of a tree, stuck there by a squirrel and forgotten. I ate it. It was pretty bad—but nourishing, I hoped. There was another apple tree and three walnuts. I scribbled x's. These were wonderful finds.

I poked around the foundations, hoping to uncover some old iron implements that I could use. I found nothing. Too many leaves had fallen and turned to loam, too many plants had grown up and died down over the old home site. I decided to come back when I had made myself a shovel.

Whistling and looking for food and shelter, I went on up the mountain, following the stone walls, discovering many things about my property. I found a marsh. In it were cattails and arrow-leaf—good starchy foods.

At high noon I stepped onto a mountain meadow. An enormous boulder rose up in the center of it. At the top of the meadow was a fringe of white birch. There were maples and oaks to the west, and a hemlock forest to the right that pulled me right across the sweet grasses, into it.

Never, never have I seen such trees. They were giants—old, old giants. They must have begun when the world began.

I started walking around them. I couldn't hear myself step, so dense and damp were the needles. Great boulders covered with ferns and moss stood among them. They looked like pebbles beneath those trees.

Standing before the biggest and the oldest and the most kinglike of them all, I suddenly had an idea.

THIS IS ABOUT
The Old, Old Tree

I knew enough about the Catskill Mountains to know that when the summer came, they were covered with people. Although Great-grandfather's farm was somewhat remote, still hikers and campers and hunters and fishermen were sure to wander across it.

Therefore I wanted a house that could not be seen. People would want to take me back where I belonged if they found me.

I looked at that tree. Somehow I knew it was home, but I was not quite sure how it was home. The limbs were high and not right for a tree house. I could build a bark extension around it, but that would look silly. Slowly I circled the great trunk. Halfway around the whole plan became perfectly obvious. To the west, between two of the flanges of the tree that spread out to be roots, was a cavity. The heart of the tree was rotting away. I scraped at it with my hands; old, rotten insect-ridden dust came tumbling out. I dug on and on, using my ax from time to time as my excitement grew.

With much of the old rot out, I could crawl in the tree and sit cross-legged. Inside I felt as cozy as a turtle in its shell. I chopped and chopped until I was hungry and exhausted. I was now in the hard good wood, and chopping it out was work. I was afraid December would come before I got a hole big enough to lie in. So I sat down to think.

You know, those first days, I just never planned right. I had the beginnings of a home, but not a bite to eat, and I had worked so hard that I could hardly move forward to find that bite. Furthermore, it was discouraging to feed that body of mine. It was never satisfied, and gathering food for it took time and got it hungrier. Trying to get a place to rest it took time and got it more tired, and I really felt I was going in circles

and wondered how primitive man ever had enough time and energy to stop hunting food and start thinking about fire and tools.

I left the tree and went across the meadow looking for food. I plunged into the woods beyond, and there I discovered the gorge and the white cascade splashing down the black rocks into the pool below.

I was hot and dirty. I scrambled down the rocks and slipped into the pool. It was so cold I yelled. But when I came out on the bank and put on my two pairs of trousers and three sweaters, which I thought was a better way to carry clothes than in a pack, I tingled and burned and felt coltish. I leapt up the bank, slipped, and my face went down in a patch of dogtooth violets.

You would know them anywhere after a few looks at them at the Botanical Gardens and in colored flower books. They are little yellow lilies on long slender stems with oval leaves dappled with gray. But that's not all. They have wonderfully tasty bulbs. I was filling my pockets before I got up from my fall.

"I'll have a salad type lunch," I said as I moved up the steep sides of the ravine. I discovered that as late as it was in the season, the spring beauties were still blooming in the cool pockets of the woods. They are all right raw, that is if you are as hungry as I was. They taste a little like lima beans. I ate these as I went on hunting food, feeling better and better, until I worked my way back to the meadow where the dandelions were blooming. Funny I hadn't noticed them earlier. Their greens are good, and so are their roots—a little strong and milky, but you get used to that.

A crow flew into the aspen grove without saying a

word. The little I knew of crows from following them in Central Park, they always have something to say. But this bird was sneaking, obviously trying to be quiet. Birds are good food. Crow is certainly not the best, but I did not know that then, and I launched out to see where it was going. I had a vague plan to try to noose it. This is the kind of thing I wasted time on in those days when time was so important. However, this venture turned out all right, because I did not have to noose that bird.

I stepped into the woods, looked around, could not see the crow, but noticed a big stick nest in a scrabbly pine. I started to climb the tree. Off flew the crow. What made me keep on climbing in face of such discouragement, I don't know, but I did, and that noon I had crow eggs and wild salad for lunch.

At lunch I also solved the problem of carving out my tree. After a struggle I made a fire. Then I sewed a big skunk cabbage leaf into a cup with grass strands. I had read that you can boil water in a leaf, and ever since then I had been very anxious to see if this were true. It seems impossible, but it works. I boiled the eggs in a leaf. The water keeps the leaf wet, and although the top dries up and burns down to the water level, that's as far as the burning goes. I was pleased to see it work.

Then here's what happened. Naturally, all this took a lot of time, and I hadn't gotten very far on my tree, so I was fretting and stamping out the fire when I stopped with my foot in the air.

good cooking fireplace
with leaf bucket

The fire! Indians made dugout canoes with fire. They burned them out, an easier and much faster way of getting results. I would try fire in the tree. If I was very careful, perhaps it would work. I ran into the hemlock forest with a burning stick and got a fire going inside the tree.

Thinking that I ought to have a bucket of water in case things got out of hand, I looked desperately around me. The water was far across the meadow and down the ravine. This would never do. I began to think the whole inspiration of a home in the tree was no good. I really did have to live near water for cooking and drinking and comfort. I looked sadly at the magnificent hemlock and was about to put the fire out and desert it when I said something to myself. It must have come out of some book: "Hemlocks usually grow around mountain streams and springs."

I swirled on my heel. Nothing but boulders around

me. But the air was damp, somewhere—I said—and darted around the rocks, peering and looking and sniffing and going down into pockets and dales. No water. I was coming back, circling wide, when I almost fell in it. Two sentinel boulders, dripping wet, decorated with flowers, ferns, moss, weeds—everything that loved water—guarded a bathtub-sized spring.

"You pretty thing," I said, flopped on my stomach, and pushed my face into it to drink. I opened my eyes. The water was like glass, and in it were little insects with oars. They rowed away from me. Beetles skittered like bullets on the surface, or carried a silver bubble of air with them to the bottom. Ha, then I saw a crayfish.

I jumped up, overturned rocks, and found many crayfish. At first I hesitated to grab them because they can pinch. I gritted my teeth, thought about how much more it hurts to be hungry, and came down upon them. I did get pinched, but I had my dinner. And that was the first time I had planned ahead! Any planning that I did in those early days was such a surprise to me and so successful that I was delighted with even a small plan. I wrapped the crayfish in leaves, stuffed them in my pockets, and went back to the burning tree.

Bucket of water, I thought. Bucket of water? Where was I going to get a bucket? How did I think, even if I found water, I could get it back to the tree? That's how citified I was in those days. I had never lived without a bucket before—scrub buckets, water buckets—and so when a water problem came up, I just thought I could run to the kitchen and get a bucket.

"Well, dirt is as good as water," I said as I ran back to my tree. "I can smother the fire with dirt."

Days passed working, burning, cutting, gathering food, and each day I cut another notch on an aspen pole that I had stuck in the ground for a calendar.

IN WHICH
I Meet One of My Own Kind and Have a Terrible Time Getting Away

Five notches into June, my house was done. I could stand in it, lie down in it, and there was room left over for a stump to sit on. On warm evenings I would lie on my stomach and look out the door, listen to the frogs and nighthawks, and hope it would storm so that I could crawl into my tree and be dry. I had gotten soaked during a couple of May downpours, and now that my house was done, I wanted the chance to sit in my hemlock and watch a cloudburst wet everything but me. This opportunity didn't come for a long time. It was dry.

One morning I was at the edge of the meadow. I had cut down a small ash tree and was chopping it into lengths of about eighteen inches each. This was the beginning of my bed that I was planning to work on after supper every night.

With the golden summer upon me, food was much easier to get, and I actually had several hours of free time after supper in which to do other things. I had been eating frogs' legs, turtles, and best of all, an occasional rabbit. My snares and traps were set now. Furthermore, I had a good supply of cattail roots I had dug in the marsh.

If you ever eat cattails, be sure to cook them well, otherwise the fibers are tough and they take more chewing to get the starchy food from them than they are worth. However, they taste just like potatoes after you've been eating them a couple of weeks, and to my way of thinking are extremely good.

Well, anyway, that summer morning when I was gathering material for a bed, I was singing and chopping and playing a game with a raccoon I had come to know. He had just crawled in a hollow tree and had gone to bed for the day when I came to the meadow. From time to time I would tap on his tree with my ax. He would hang his sleepy head out, snarl at me, close his eyes, and slide out of sight.

The third time I did this, I knew something was happening in the forest. Instead of closing his eyes, he pricked up his ears and his face became drawn and tense. His eyes were focused on something down the mountain. I stood up and looked. I could see nothing.

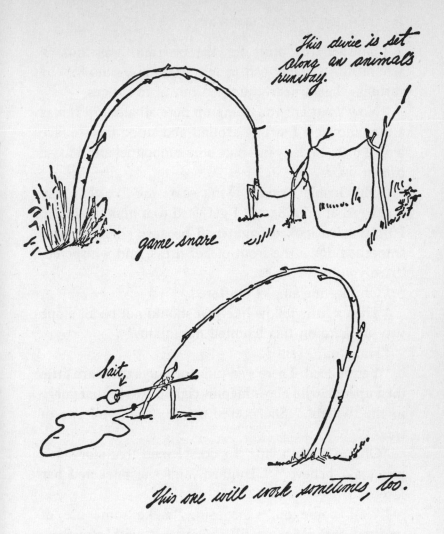

This device is set along an animal's runway.

game snare

bait

This one will work sometimes, too.

I squatted down and went back to work. The raccoon dove out of sight.

"Now what's got you all excited?" I said, and tried once more to see what he had seen.

I finished the posts for the bed and was looking around for a bigger ash to fell and make slats for the springs when I nearly jumped out of my shoes.

"Now what are you doing up here all alone?" It was a human voice. I swung around and stood face to face with a little old lady in a pale blue sunbonnet and a loose brown dress.

"Oh! Gosh!" I said. "Don't scare me like that. Say one word at a time until I get used to a human voice." I must have looked frightened because she chuckled, smoothed down the front of her dress, and whispered, "Are you lost?"

"Oh, no, ma'am," I stuttered.

"Then a little fellow like you should not be all alone way up here on this haunted mountain."

"Haunted?" said I.

"Yes, indeed. There's an old story says there are little men up here who play ninepins right down in that gorge in the twilight." She peered at me. "Are you one of them?"

"Oh, no, no, no, no," I said. "I read that story. It's just make-believe." I laughed, and she puckered her forehead.

"Well, come on," she said, "make some use of yourself and help me fill this basket with strawberries."

I hesitated—she meant *my* strawberry supply.

"Now, get on with you. A boy your age should be doing something worthwhile, 'stead of playing mumbly peg with sticks. Come on, young man." She jogged me out into the meadow.

We worked quite a while before we said any more. Frankly, I was wondering how to save my precious, precious strawberries, and I may say I picked slowly. Every time I dropped one in her basket, I thought how good it would taste.

"Where do ye live?" I jumped. It is terribly odd to hear a voice after weeks of listening only to birds and raccoons, and what is more, to hear the voice ask a question like that.

"I live here," I said.

"Ye mean Delhi. Fine. You can walk me home."

Nothing I added did any good. She would not be shaken from her belief that I lived in Delhi. So I let it go.

We must have reaped every last strawberry before she stood up, put her arm in mine and escorted me down the mountain. I certainly was not escorting her. Her wiry little arms were like crayfish pinchers. I couldn't have gotten away if I had tried. So I walked and listened.

She told me all the local and world news, and it was rather pleasant to hear about the National League, an atom bomb test, and a Mr. Riley's three-legged dog that chased her chickens. In the middle of all this chatter she said, "That's the best strawberry patch in the entire Catskill range. I come up here every spring. For forty years I've come to that meadow for my strawberries. It gits harder every year, but there's no jam can beat the jam from that mountain. I know. I've been around here all my life." Then she went right into the New York Yanks without putting in a period.

As I helped her across the stream on big boulders, I heard a cry in the sky. I looked up. Swinging down the valley on long pointed wings was a large bird. I was struck by the ease and swiftness of its flight.

"Duck hawk," she said. "Nest around here every year. My man used to shoot 'em. He said they killed chickens, but I don't believe it. The only thing that kills chickens is Mr. Riley's three-legged dog."

She tipped and teetered as she crossed the rocks, but kept right on talking and stepping as if she knew that no matter what, she would get across.

We finally reached the road. I wasn't listening to her very much. I was thinking about the duck hawk. This bird, I was sure. was the peregrine falcon, the king's hunting bird.

"I will get one. I will train it to hunt for me," I said to myself.

Finally I got the little lady to her brown house at the edge of town.

She turned fiercely upon me. I started back.

"Where are you going, young man?"

I stopped. Now, I thought, she is going to march me into town. Into town? Well, that's where I'll go then, I said to myself. And I turned on my heel, smiled at her, and replied, "To the library."

The King's Provider

Miss Turner was glad to see me. I told her I wanted some books on hawks and falcons, and she located a few, although there was not much to be had on the subject. We worked all afternoon, and I learned enough. I departed when the library closed. Miss Turner whispered to me as I left, "Sam, you need a haircut."

I hadn't seen myself in so long that this had not occurred to me. "Gee, I don't have any scissors."

She thought a minute, got out her library scissors, and sat me down on the back steps. She did a fine job, and I looked like any other boy who had played hard all day, and who, with a little soap and water after supper, would be going off to bed in a regular house.

I didn't get back to my tree that night. The May apples were ripe, and I stuffed on those as I went through the woods. They taste like a very sweet banana, are earthy and a little slippery. But I liked them.

At the stream I caught a trout. Everybody thinks a trout is hard to catch because of all the fancy gear and flies and lines sold for trout fishing, but, honestly, they are easier to catch than any other fish. They have big mouths and snatch and swallow whole anything they see when they are hungry. With my wooden hook in its mouth, the trout was mine. The trouble is that trout are not hungry when most people have time to fish. I knew they were hungry that evening because the creek was swirling, and minnows and everything else were jumping out of the water. When you see that, go fish. You'll get them.

I made a fire on a flat boulder in the stream, and cooked the trout. I did this so I could watch the sky. I wanted to see the falcon again. I also put the trout head on the hook and dropped it in the pool. A snapping turtle would view a trout head with relish.

I waited for the falcon patiently. I didn't have to go anywhere. After an hour or so, I was rewarded. A slender speck came from the valley and glided above the stream. It was still far away when it folded its wings and bombed the earth. I watched. It arose, clumsy and big—carrying food—and winged back to the valley.

I sprinted down the stream and made myself a lean-to near some cliffs where I thought the bird had disappeared. Having learned that day that duck hawks prefer to nest on cliffs, I settled for this site.

Early the next morning, I got up and dug the tubers of the arrow-leaf that grew along the stream bank. I baked these and boiled mussels for breakfast, then I curled up behind a willow and watched the cliff.

The falcons came in from behind me and circled the stream. They had apparently been out hunting before I had gotten up, as they were returning with food. This was exciting news. They were feeding young, and I was somewhere near the nest.

I watched one of them swing in to the cliff and disappear. A few minutes later it winged out empty-footed. I marked the spot mentally and said, "Ha!"

After splashing across the stream in the shallows, I stood at the bottom of the cliff and wondered how on earth I was going to climb the sheer wall.

I wanted a falcon so badly, however, that I dug in with my toes and hands and started up. The first part was easy; it was not too steep. When I thought I was stuck, I found a little ledge and shinnied up to it.

I was high, and when I looked down, the stream spun. I decided not to look down anymore. I edged up to another ledge, and lay down on it to catch my breath. I was shaking from exertion and I was tired.

I looked up to see how much higher I had to go when my hand touched something moist. I pulled it back and saw that it was white—bird droppings. Then I saw them. Almost where my hand had been sat three fuzzy whitish gray birds. Their wide-open mouths gave them a startled look.

"Oh, hello, hello," I said. "You are cute."

When I spoke, all three blinked at once. All three heads turned and followed my hand as I swung it up and toward them. All three watched my hand with opened mouths. They were marvelous. I chuckled. But I couldn't reach them.

I wormed forward, and *wham!*—something hit my shoulder. It pained. I turned my head to see the big female. She had hit me. She winged out, banked, and started back for another strike.

Now I was scared, for I was sure she would cut me wide open. With sudden nerve, I stood up, stepped forward, and picked up the biggest of the nestlings. The females are bigger than the males. They are the "falcons." They are the pride of kings. I tucked her in my sweater and leaned against the cliff, facing the bulletlike dive of the falcon. I threw out my foot as she struck, and the sole of my tennis shoe took the blow.

The female was now gathering speed for another attack, and when I say speed, I mean 50 to 60 miles an hour. I could see myself battered and torn, lying in the valley below, and I said to myself, "Sam Gribley, you had better get down from here like a rabbit."

I jumped to the ledge below, found it was really quite wide, slid on the seat of my pants to the next ledge, and stopped. The hawk apparently couldn't count. She did not know I had a youngster, for she checked her nest, saw the open mouths, and then she forgot me.

I scrambled to the riverbed somehow, being very careful not to hurt the hot fuzzy body that was against my own. However, Frightful, as I called her right then and there because of the difficulties we had had in getting together, did not think so gently of me. She dug her talons into my skin to brace herself during the bumpy ride to the ground.

I stumbled to the stream, placed her in a nest of buttercups, and dropped beside her. I fell asleep.

When I awoke my eyes opened on two gray eyes in a white stroobly head. Small pinfeathers were sticking out of the stroobly down, like feathers in an Indian quiver. The big blue beak curled down in a snarl and up in a smile.

"Oh, Frightful," I said, "you are a raving beauty."

Frightful fluffed her nubby feathers and shook. I picked her up in the cup of my hands and held her under my chin. I stuck my nose in the deep warm fuzz. It smelled dusty and sweet.

I liked that bird. Oh, how I liked that bird from that smelly minute. It was so pleasant to feel the beating life and see the funny little awkward movements of a young thing.

The legs pushed out between my fingers, I gathered them up, together with the thrashing wings, and tucked the bird in one piece under my chin. I rocked.

"Frightful," I said. "You will enjoy what we are going to do."

I washed my bleeding shoulder in the creek, tucked the torn threads of my sweater back into the hole they had come out of, and set out for my tree.

A BRIEF ACCOUNT OF
What I Did About
the First Man Who Was After Me

At the edge of the meadow, I sensed all was not well at camp. How I knew there was a human being there was not clear to me then. I can only say that after living so long with the birds and animals, the movement of a human is like the difference between the explosion of a cap pistol and a cannon.

I wormed toward camp. When I could see the man

I felt to be there, I stopped and looked. He was wearing a forester's uniform. Immediately I thought they had sent someone out to bring me in, and I began to shake. Then I realized that I didn't have to go back to meet the man at all. I was perfectly free and capable of settling down anywhere. My tree was just a pleasant habit.

I circled the meadow and went over to the gorge. On the way I checked a trap. It was a deadfall. A figure four under a big rock. The rock was down. The food was rabbit.

I picked a comfortable place just below the rim of the gorge where I could pop up every now and then and watch my tree. Here I dressed down the rabbit and fed Frightful some of the more savory bites from a young falcon's point of view: the liver, the heart, the brain. She ate in gulps. As I watched her swallow I sensed a great pleasure. It is hard to explain my feelings at that moment. It seemed marvelous to see life pump through that strange little body of feathers, wordless noises, milk eyes—much as life pumped through me.

The food put the bird to sleep. I watched her eyelids close from the bottom up, and her head quiver. The fuzzy body rocked, the tail spread to steady it, and the little duck hawk almost sighed as she sank into the leaves, sleeping.

I had lots of time. I was going to wait for the man to leave. So I stared at my bird, the beautiful details of the new feathers, the fernlike lashes along the lids, the saucy bristles at the base of the beak. Pleasant hours passed.

Frightful would awaken, I would feed her, she would fall back to sleep, and I would watch the breath rock her body ever so slightly. I was breathing the same way, only not as fast. Her heart beat much faster than mine. She was designed to her bones for a swifter life.

It finally occurred to me that I was very hungry. I stood up to see if the man were gone. He was yawning and pacing.

The sun was slanting on him now, and I could see him quite well. He was a fire warden. Of course, it has not rained, I told myself, for almost three weeks, and the fire planes have been circling the mountains and valleys, patrolling the mountains. Apparently the smoke from my fire was spotted, and a man was sent to check it. I recalled the bare trampled ground around the tree, the fireplace of rocks filled with ashes, the wood chips from the making of my bed, and resolved hereafter to keep my yard clean.

So I made rabbit soup in a tin can I found at the bottom of the gorge. I seasoned it with wild garlic and jack-in-the-pulpit roots.

Jack-in-the-pulpits have three big leaves on a stalk and are easily recognized by the curly striped awning above a stiff, serious preacher named Jack. The jack-in-the-pulpit root, or corm, tastes and looks like potato. It should never be eaten raw.

The fire I made was only of the driest wood, and I made it right at the water's edge. I didn't want a smoky fire on this particular evening.

After supper I made a bough bed and stretched out
with Frightful beside me. Apparently, the more you
stroke and handle a falcon, the easier they are to train.

I had all sorts of plans for hoods and jesses, as the
straps on a falcon are called, and I soon forgot about
the man.

Stretched on the boughs, I listened to the wood pewees calling their haunting good nights until I fell sound asleep.

IN WHICH
I Learn to Season My Food

The fire warden made a fire some time in the colder hours of the night. At dawn he was asleep beside white smoldering ashes. I crawled back to the gorge, fed Frightful rabbit bites, and slipped back to the edge of the meadow to check a box trap I had set the day before. I made it by tying small sticks together like a log cabin. This trap was better than the snares or deadfalls. It had caught numerous rabbits, several squirrels, and a groundhog.

I saw, as I inched toward it, that it was closed. The sight of a closed trap excites me to this day. I still can't believe that animals don't understand why delicious food is in such a ridiculous spot.

Well, this morning I pulled the trap deep into the woods to open it. The trapped animal was light. I couldn't guess what it was. It was also active, flipping and darting from one corner to the next. I peeked in to locate it, so that I could grab it quickly behind the head

without getting bitten. I was not always successful at
this, and had scars to prove it.

I put my eye to the crack. A rumpus arose in the
darkness. Two bright eyes shone, and out through that
hole that was no wider than a string bean came a weasel.
He flew right out at me, landed on my shoulder, gave
me a lecture that I shall never forget, and vanished
under the scant cover of trillium and bloodroot leaves.

He popped up about five feet away and stood on his
hind feet to lecture me again. I said, "Scat!" so he darted
right to my knee, put his broad furry paws on my pants,
and looked me in the face. I shall never forget the fear
and wonder that I felt at the bravery of that weasel. He
stood his ground and berated me. I could see by the
flashing of his eyes and the curl of his lip that he was
furious at me for trapping him. He couldn't talk, but I
knew what he meant.

Wonder filled me as I realized he was absolutely un-
afraid. No other animal, and I knew quite a few by
now, had been so brave in my presence. Screaming, he
jumped on me. This surprised and scared me. He leapt
from my lap to my head, took a mouthful of hair and
wrestled it. My goose bumps rose. I was too frightened
to move. A good thing, too, because I guess he figured
I was not going to fight back and his scream of anger
changed to a purr of peace. Still, I couldn't move.

Presently, down he climbed, as stately as royalty, and
off he marched, never looking back. He sank beneath

the leaves like a fish beneath the water. Not a stem rippled to mark his way.

And so The Baron and I met for the first time, and it was the beginning of a harassing but wonderful friendship.

Frightful had been watching all this. She was tense with fright. Although young and inexperienced, she knew an enemy when she saw one. I picked her up and whispered into her birdy-smelling neck feathers.

"You wild ones know."

Since I couldn't go home, I decided to spend the day in the marsh down the west side of the mountain. There were a lot of cattails and frogs there.

Frightful balanced on my fist as we walked. She had learned that in the short span of one afternoon and a night. She is a very bright bird.

On our way we scared up a deer. It was a doe. I watched her dart gracefully away, and said to Frightful, "That's what I want. I need a door for my house, tethers for you, and a blanket for me. How am I going to get a deer?"

This was not the first time I had said this. The forest was full of deer, and I already had drawn plans on a piece of birch bark for deadfalls, pit traps, and snares. None seemed workable.

The day passed. In the early evening we stole home, tree by tree, to find that the warden had gone. I cleaned up my front yard, scattered needles over the bare spots, and started a small fire with very dry wood that would

not smoke much. No more wardens for me. I liked my
tree, and although I could live somewhere else, I certainly did not want to.

Once home, I immediately started to work again. I
had a device I wanted to try, and put some hickory
sticks in a tin can and set it to boiling while I fixed
dinner. Before going to bed, I noted this on a piece of
birch bark:

"This night I am making salt. I know that people in
the early days got along without it, but I think some of
these wild foods would taste better with some flavoring.
I understand that hickory sticks, boiled dry, leave a
salty residue. I am trying it."

In the morning I added:

"It is quite true. The can is dry, and thick with a
black substance. It is very salty, and I tried it on frogs'
legs for breakfast. It is just what I have needed."

And so I went into salt production for several days,
and chipped out a niche inside the tree in which to
store it.

"June 19

"I finished my bed today. The ash slats work very
well, and are quite springy and comfortable. The bed
just fits in the right-hand side of the tree. I have hem-

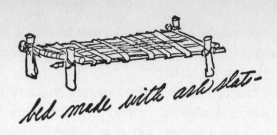

bed made with ark slat-

lock boughs on it now, but hope to have deer hide soon. I am making a figure-four trap as tall as me with a log on it that I can barely lift. It doesn't look workable. I wish there was another way of getting a deer.

"June 20

"I decided today to dig a pit to trap a deer, so I am whittling a shovel out of a board I found in the stream this morning. That stream is very useful. It has given me tin cans for pots, and now an oaken board for a shovel.

"Frightful will hop from the stump to my fist. She still can't fly. Her wing feathers are only about an inch long. I think she likes me."

How a Door Came to Me

One morning before the wood pewees were up, I was smoking a mess of fish I had caught in the stream. When I caught more than I could eat, I would bone them, put them on a rack of sticks, and slowly smoke them until they dried out. This is the best way to preserve extra food. However, if you try it, remember to use a hard wood—hickory is the best. I tried pine on the first batch, and ruined them with black tarry smoke. Well, it was very silent—then came a scream. I jumped into my tree. Presently I had enough nerve to look out.

"Baron Weasel!" I said in astonishment. I was sure it was the same weasel I had met in the trap. He was on the boulder in front of the hemlock, batting the ferns with his front feet and rearing and staring at me.

"Now, you stay right there," I said. Of course, he flipped and came off the rock like a jet stream. He was at the door before I could stop him, and loping around my feet like a bouncing ball.

"You look glad all over, Baron. I hope all that frisking means joy," I said. He took my pants leg in his teeth, tugged it, and then rippled softly back to the boulder. He went down a small hole. He popped up again, bit a fern near by, and ran around the boulder. I crept out to look for him—no weasel. I poked a stick in the hole at the base of the rock trying to provoke him. I felt a little jumpy, so that when a shot rang out through the woods I leapt a foot in the air and dove into my hole. A cricket chirped, a catbird scratched the leaves. I waited. One enormous minute later a dark form ran onto the meadow. It stumbled and fell.

I had the impression that it was a deer. Without

waiting to consider what I might be running toward, I burst to the edge of the meadow.

No one was in sight, I ran into the grass. There lay a dead deer! With all my strength I dragged the heavy animal into the woods. I then hurried to my tree, gathered up the hemlock boughs on my bed, rushed back and threw them over the carcass. I stuck a few ferns in them so they would look as if they were growing there and ran back to camp, breathless.

Hurriedly I put out the fire, covered it with dirt, hid my smoking rack in the spring, grabbed Frightful and got in my tree.

Someone was poaching, and he might be along in a minute to collect his prize. The shot had come from the side of the mountain, and I figured I had about four minutes to clean up before the poacher arrived.

Then when I was hidden and ready, Frightful started her cry of hunger. I had not fed her yet that morning. Oh, how was I going to explain to her the awful need to be quiet? How did a mother falcon warn her young of danger? I took her in my hands and stroked her stomach. She fought me and then she lay still in my hand, her feet up, her eyes bright. She stiffened and drooped. I kept on stroking her. She was hypnotized. I would stop for a few moments, she would lie still, then pop to her feet. I was sure this wasn't what her mother did to keep her quiet, but it worked.

Bushes cracked, leaves scuttled, and a man with a rifle came into the meadow. I could just see his head and shoulders. He looked around and banged toward the hemlock forest. I crawled up on my bed and stroked the hungry Frightful.

I couldn't see the man from my bed, but I could hear him.

I heard him come to the tree. I could see his boots. He stopped by the ashes of the fire; and then went on. I could see my heart lift my sweater. I was terrified.

I stayed on the bed all morning, telling the fierce little bundle of feathers in my hand that there was deer meat in store for her if she would just wait with me.

Way down the other side of the mountain, I heard another shot. I sure hoped that deer dropped on the poacher's toes and that he would now go home.

At noon I went to my prize. Frightful sat beside me as I skinned and quartered it. She ate deer until she was misshapen.

I didn't make any notes as to how long it took me to do all the work that was required to get the deer ready for smoking and the hide scraped and ready for tanning, but it was many, many days.

However, when I sat down to a venison steak, that was a meal! All it was, was venison. I wrote this on a piece of birch bark. "I think I grew an inch on venison!" Frightful and I went to the meadow when the meal was done, and I flopped in the grass. The stars came up, the ground smelled sweet, and I closed my eyes. I heard, *"Pip, pop, pop, pop."*

"Who's making that noise?" I said sleepily to Frightful. She ruffled her feathers.

I listened. *"Pop, pip."* I rolled over and stuck my face in the grass. Something gleamed beneath me, and in the fading light I could see an earthworm coming out of its hole.

Nearby another one arose and there was a *pop.* Little bubbles of air snapped as these voiceless animals of the earth came to the surface. That got me to smiling. I was glad to know this about earthworms. I don't know why, but this seemed like one of the nicest things I had learned in the woods—that earthworms, lowly, confined to the darkness of the earth, could make just a little stir in the world.

IN WHICH
Frightful Learns Her ABC's

Free time was spent scraping the fur off the deer hide to get it ready for tanning. This much I knew: in order to tan hide, it has to be steeped in tannic acid. There is tannic acid in the woods in oak trees, but it took me several weeks to figure out how to get it. You need a lot of oak chips in water. Water and oak give off tannic acid. My problem was not oak or water but getting a vessel big enough to put the deer hide in.

Coming home from the stream one night I had an inspiration.

It had showered the day before, and as Frightful and I passed an old stump, I noticed that it had collected the rain. "A stump, an oak stump, would be perfect," I said right out loud to that pretty bird.

So I felled an oak over by the gorge, burned a hole in it, carried water to it, and put my deerskin in it. I let it steep, oh, maybe five days before I took it out and dried it. It dried stiff as a board, and I had to chew, rub, jump on it, and twist it to get it soft. When this was done, however, I had my door. I hung it on pegs inside my entrance, and because it was bigger than it had to be, I would cut off pieces now and then when I needed them. I cut off two thin strips to make jesses, or leg straps, for Frightful. All good falcons wear jesses and leashes so they can be tethered for their training.

I smoked the meat I couldn't eat and stored it. I used everything I could on that animal. I even used one of its bones for a spearhead. I was tired of catching frogs by the jump-and-miss system. I made two sharp points, and strapped them to the end of a long stick, one on each side, to make a kind of fork. It worked beautifully. Frogs were one of my favorite meals, and I found I could fix them many ways; however, I got to like frog soup fixed in this way: "Clean, skin, and boil until tender. Add wild onions, also water lily buds and wild carrots. Thicken with acorn flour. Serve in turtle shell."

perch

jesses or leg straps

leash

By now my two pairs of pants were threadbare and my three sweaters were frayed. I dreamed of a deerskin suit, and watched my herd with clothes in mind.

The deer for my suit did not come easily. I rigged up a figure-four trap under the log, and baited it with elderberries rolled into a ball. That just mushed up and didn't work. Then I remembered that deer like salt. I made a ball of hickory salt with turtle fat to hold it together.

Every evening Frightful and I, sometimes accompanied by The Baron Weasel, would go to the edge of the meadow and look toward the aspen grove to see if the great log had fallen. One night we saw three deer standing around it quietly, reaching toward the smell of salt. At that moment, The Baron jumped at my pants leg, but got my ankle with an awful nip. I guess I had grown some; my pants and socks did not meet anymore. I screamed, and the deer fled.

I chased The Baron home. I had the uneasy feeling that he was laughing as he darted, flipped, buckled, and disappeared.

The Baron was hard to understand. What did he want from me? Occasionally I left him bites of turtle or venison, and although he smelled the offerings, he never ate them. The catbird would get them. Most animals stick around if you feed them. But The Baron did not eat anything. Yet he seemed to like me. Gradually it occurred to me that he didn't have a mate or a family. Could he be a lonely bachelor, taking up with odd company for lack of an ordinary life? Well, whatever, The Baron liked me for what I was, and I appreciated that. He was a personable little fellow.

Every day I worked to train Frightful. It was a long process. I would put her on her stump with a long leash and step back a few feet with some meat in my hand. Then I would whistle. The whistle was supposed eventually to mean food to her. So I would whistle, show her the meat, and after many false flaps she would finally fly to my hand. I would pet her and feed her. She could fly fairly well, so now I made sure that she never ate unless she flew to my fist.

One day at breakfast I whistled for Frightful. I had no food, she wasn't even hungry, but she came to me anyway. I was thrilled. She had learned a whistle meant "come."

I looked into her steely eyes that morning and thought I saw a gentle recognition. She puffed up her feathers as she sat on my hand. I call this a "feather word." It means she is content.

Now each day I stepped farther and farther away from Frightful to make her fly greater and greater distances. One day she flew a good fifty feet, and we packed up and went gathering seeds, bark, and tubers to celebrate.

I used my oldest sweater for gathering things. It was not very convenient, and each time I filled it I mentally designed bigger and better pockets on my deer-hide suit-to-be.

The summer was wonderful. There was food in abundance and I gathered it most of the morning, and stored it away in the afternoon. I could now see that my niches were not going to be big enough for the amount of food I would need for the winter, so I began burning out another tree. When the hickory nuts, walnuts, and acorns appeared, I was going to need a bin. You'd be surprised what a pile of nuts it takes to make one turtle shell full of nut meats—and not a snapping-turtle shell either, just a box-turtle shell!

With the easy living of the summer also came a threat. Hikers and vacationers were in the woods, and more than once I pulled inside my tree, closed my deer-flap door, and hid while bouncing noisy people crossed the meadow on their way to the gorge. Apparently the gorge was a sight for those who wanted a four-mile hike up the mountain.

One morning I heard a group arriving. I whistled for Frightful. She came promptly. We dove into the tree. It was dark inside the tree with the flap closed, and I realized that I needed a candle. I planned a lamp of a turtle shell with a deer-hide wick, and as I was cutting off a piece of hide, I heard a shrill scream.

The voices of the hikers became louder. I wondered if one of them had fallen into the gorge. Then I said to Frightful, "That was no cry of a human, pretty bird. I'll bet you a rabbit for dinner that our deer trap worked. And here we are stored in a tree like a nut and unable to claim our prize."

We waited and waited until I couldn't be patient any more, and I was about to put my head out the door when a man's voice said, "Look at these trees!"

A woman spoke. "Harold, they're huge. How old do you think they are?"

"Three hundred years old, maybe four hundred," said Harold.

They tramped around, actually sat on The Baron's boulder, and were apparently going to have lunch, when things began to happen out there and I almost gave myself away with hysterics.

"Harold, what's the matter with that weasel? It's running all over this rock." A scream! A scuttering and scraping of boots on the rocks.

"He's mad!" That was the woman.

"Watch it, Grace, he's coming at your feet." They ran.

By this time I had my hand over my mouth to keep back the laughter. I snorted and choked, but they never heard me. They were in the meadow—run right out of the forest by that fiery Baron Weasel.

I still laugh when I think of it.

It was not until dark that Frightful and I got to the deer, and a beauty it was.

The rest of June was spent smoking it, tanning it, and finally, starting on my deerskin suit. I made a bone needle, cut out the pants by ripping up one pair of old city pants for a pattern. I saved my city pants and burned them bit by bit to make charred cloth for the flint and steel.

rack for smoking
fish and meat

"Frightful," I said while sewing one afternoon. She was preening her now silver-gray, black, and white feathers. "There is no end to this. We need another deer. I can't make a blouse."

We didn't get another deer until fall, so with the scraps I made big square pockets for food gathering. One hung in front of me, and the other down my back. They were joined by straps. This device worked beautifully.

Sometime in July I finished my pants. They fit well, and were the best-looking pants I had ever seen. I was terribly proud of them.

With pockets and good tough pants I was willing to pack home many more new foods to try. Daisies, the bark of a poplar tree that I saw a squirrel eating, and puffballs. They are mushrooms, the only ones I felt were safe to eat, and even at that, I kept waiting to die the first night I ate them. I didn't, so I enjoyed them from that night on. They are wonderful. Mushrooms are dangerous and I would not suggest that one eat them from the forest. The mushroom expert at the Botanical Gardens told me that. He said even he didn't eat wild ones.

The inner bark of the poplar tree tasted like wheat kernels, and so I dried as much as I could and powdered it into flour. It was tedious work, and in August when the acorns were ready, I found that they made better flour and were much easier to handle.

I would bake the acorns in the fire, and grind them between stones. This was tedious work, too, but now that I had a home and smoked venison and did not have to hunt food every minute, I could do things like make flour. I would simply add spring water to the flour and bake this on a piece of tin. When done, I had the best pancakes ever. They were flat and hard, like I imagined Indian bread to be. I liked them, and would carry the leftovers in my pockets for lunch.

One fine August day I took Frightful to the meadow. I had been training her to the lure. That is, I now tied her meat on a piece of wood, covered with hide and feathers. I would throw it in the air and she would swoop out of the sky and catch it. She was absolutely free during these maneuvers, and would fly high into the air and hover over me like a leaf. I made sure she was very hungry before I turned her loose. I wanted her back.

After a few tries she never missed the lure. Such marksmanship thrilled me. Bird and lure would drop to the earth, I would run over, grab her jesses, and we would sit on the big boulder in the meadow while she ate. Those were nice evenings. The finest was the night I wrote this:

"Frightful caught her first prey. She is now a trained falcon. It was only a sparrow, but we are on our way. It happened unexpectedly. Frightful was climbing into the sky, circling and waiting for the lure, when I stepped forward and scared a sparrow.

"The sparrow flew across the meadow. Out of the sky came a black streak—I've never seen anything drop so fast. With a great backwatering of wings, Frightful broke her fall, and at the same time seized the sparrow. I took it away from her and gave her the lure. That sounds mean, but if she gets in the habit of eating what she catches, she will go wild."

IN WHICH
I Find a Real Live Man

One of the gasping joys of summer was my daily bath in the spring. It was cold water, I never stayed in long, but it woke me up and started me into the day with a vengeance.

I would tether Frightful to a hemlock bough above me and splash her from time to time. She would suck in her chest, look startled, and then shake. While I bathed and washed, she preened. Huddled down in the water between the ferns and moss, I scrubbed myself with the bark of the slippery elm. It gets soapy when you rub it.

The frogs would hop out and let me in, and the

woodthrush would come to the edge of the pool to see what was happening. We were a gay gathering—me shouting, Frightful preening, the woodthrush cocking its pretty head. Occasionally The Baron Weasel would pop up and glance furtively at us. He didn't care for water. How he stayed glossy and clean was a mystery to me, until he came to the boulder beside our bath pool one day, wet with the dew from the ferns. He licked himself until he was polished.

One morning there was a rustle in the leaves above. Instantly, Frightful had it located. I had learned to look where Frightful looked when there were disturbances in the forest. She always saw life before I could focus my eyes. She was peering into the hemlock above us. Finally I too saw it. A young raccoon. It was chittering and now that all eyes were upon it, began coming down the tree.

And so Frightful and I met Jessie Coon James, the bandit of the Gribley farm.

He came headfirst down to our private bath, a scrabbly, skinny young raccoon. He must have been from a late litter, for he was not very big, and certainly not well fed. Whatever had been Jessie C. James's past, it was awful. Perhaps he was an orphan, perhaps he had been thrown out of his home by his mother, as his eyes were somewhat crossed and looked a little peculiar. In any event he had come to us for help, I thought, and so Frightful and I led him home and fed him.

In about a week he fattened up. His crumply hair smoothed out, and with a little ear scratching and back rubbing, Jessie C. James became a devoted friend. He also became useful. He slept somewhere in the dark tops of the hemlocks all day long, unless he saw us start for the stream. Then, tree by tree, limb by limb, Jessie followed us. At the stream he was the most useful mussel digger that any boy could have. Jessie could find mussels where three men could not. He would start to eat them, and if he ate them, he got full and wouldn't dig anymore, so I took them away from him until he found me all I wanted. Then I let him have some.

Mussels are good. Here are a few notes on how to fix them.

"Scrub mussels in spring water. Dump them into boiling water with salt. Boil five minutes. Remove and cool in the juice. Take out meat. Eat by dipping in acorn paste flavored with a smudge of garlic, and green apples."

Frightful took care of the small game supply, and now that she was an expert hunter, we had rabbit stew, pheasant potpie, and an occasional sparrow, which I generously gave to Frightful. As fast as we removed the rabbits and pheasants new ones replaced them.

Beverages during the hot summer became my chore, largely because no one else wanted them. I found some sassafras trees at the edge of the road one day, dug up a good supply of roots, peeled and dried them. Sassafras tea is about as good as anything you want to drink. Pennyroyal makes another good drink. I dried great bunches of this, and hung them from the roof of the tree room together with the leaves of winterberry. All these fragrant plants I also used in cooking to give a new taste to some not-so-good foods.

The room in the tree smelled of smoke and mint. It was the best-smelling tree in the Catskill Mountains.

Life was leisurely. I was warm, well fed. One day while I was down the mountain, I returned home by way of the old farmhouse site to check the apple crop. They were summer apples, and were about ready to be picked. I had gathered a pouchful and had sat down under the tree to eat a few and think about how I would dry them for use in the winter when Frightful dug her talons into my shoulder so hard I winced.

"Be gentle, bird!" I said to her.

I got her talons out and put her on a log, where I watched her with some alarm. She was as alert as a high tension wire, her head cocked so that her ears, just membranes under her feathers, were pointed east. She evidently heard a sound that pained her. She opened her beak. Whatever it was, I could hear nothing, though I strained my ears, cupped them, and wished she would speak.

Frightful was my ears as well as my eyes. She could hear things long before I. When she grew tense, I listened or looked. She was scared this time. She turned round and round on the log, looked up in the tree for a perch, lifted her wings to fly, and then stood still and listened.

Then I heard it. A police siren sounded far down the road. The sound grew louder and louder, and I grew afraid. Then I said, "No, Frightful, if they are after me there won't be a siren. They'll just slip up on me quietly."

No sooner had I said this than the siren wound down, and apparently stopped on the road at the foot of the mountain. I got up to run to my tree, but had not gotten past the walnut before the patrol cars started up and screamed away.

We started home although it was not late in the afternoon. However, it was hot, and thunderheads were building up. I decided to take a swim in the spring and work on the moccasins I had cut out several days ago.

With the squad car still on my mind, we slipped quietly into the hemlock forest. Once again Frightful almost sent me through the crown of the forest by digging her talons into my shoulder. I looked at her. She was staring at our home. I looked, too. Then I stopped, for I could make out the form of a man stretched between the sleeping house and the store tree.

Softly, tree by tree, Frightful and I approached him. The man was asleep. I could have left and camped in the gorge again, but my enormous desire to see another human being overcame my fear of being discovered.

We stood above the man. He did not move, so Frightful lost interest in my fellow being. She tried to hop to her stump and preen. I grabbed her leash however, as I wanted to think before awakening him. Frightful flapped. I held her wings to her body as her flapping was noisy to me. Apparently not so to the man. The man did not stir. It is hard to realize that the rustle of a falcon's wings is not much of a noise to a man from the city, because by now, one beat of her wings and I would awaken from a sound sleep as if a shot had gone off. The stranger slept on. I realized how long I'd been in the mountains.

Right at that moment, as I looked at his unshaven face, his close-cropped hair, and his torn clothes, I thought of the police siren, and put two and two together.

"An outlaw!" I said to myself. "Wow!" I had to think what to do with an outlaw before I awoke him.

Would he be troublesome? Would he be mean? Should I go live in the gorge until he moved on? How I wanted to hear his voice, to tell him about The Baron and Jessie C. James, to say words out loud. I really did not want to hide from him; besides, he might be hungry, I thought. Finally I spoke.

"Hi!" I said. I was delighted to see him roll over, open his eyes, and look up. He seemed startled, so I reassured him. "It's all right, they've gone. If you don't tell on me I won't tell on you." When he heard this, he sat up and seemed to relax.

"Oh," he said. Then he leaned against the tree and added, "Thanks." He evidently was thinking this over, for he propped his head on his elbow and studied me closely.

"You're a sight for sore eyes," he said, and smiled. He had a nice smile—in fact, he looked nice and not like

an outlaw at all. His eyes were very blue and, although
tired, they did not look scared or hunted.

However, I talked quickly before he could get up and
run away.

"I don't know anything about you, and I don't want to. You don't know anything about me, and don't want to, but you may stay here if you like. No one is going to find you here. Would you like some supper?" It was still early, but he looked hungry.

"Do you have some?"

"Yes, venison or rabbit?"

"Well . . . venison." His eyebrows puckered in question marks. I went to work.

He arose, turned around and around, and looked at his surroundings. He whistled softly when I kindled a spark with the flint and steel. I was now quite quick at this, and had a tidy fire blazing in a very few minutes. I was so used to myself doing this that it had not occurred to me that it would be interesting to a stranger.

"Desdemondia!" he said. I judged this to be some underworld phrase. At this moment Frightful, who had been sitting quietly on her stump, began to preen. The outlaw jumped back, then saw she was tied and said, "And who is this ferocious-looking character?"

"That is Frightful; don't be afraid. She's quite wonderful and gentle. She would be glad to catch you a rabbit for supper if you would prefer that to venison."

"Am I dreaming?" said the man. "I go to sleep by a campfire that looked like it was built by a boy scout, and I awaken in the middle of the eighteenth century."

I crawled into the store tree to get the smoked venison and some cattail tubers. When I came out again, he was speechless.

"My storehouse," I explained.

"I see," he answered. From that moment on he did not talk much. He just watched me. I was so busy cooking the best meal that I could possibly get together that I didn't say much either. Later I wrote down that menu, as it was excellent.

"Brown puffballs in deer fat with a little wild garlic, fill pot with water, put venison in, boil. Wrap tubers in leaves and stick in coals. Cut up apples and boil in can with dogtooth violet bulbs. Raspberries to finish meal."

dogtooth violet

When the meal was ready, I served it to the man in my nicest turtle shell. I had to whittle him a fork out of the crotch of a twig, as Jessie Coon James had gone off with the others. He ate and ate and ate, and when he was done he said, "May I call you Thoreau?"

"That will do nicely," I said. Then I paused—just to let him know that I knew a little bit about him too. I smiled and said, "I will call you Bando."

His eyebrows went up, he cocked his head, shrugged his shoulders and answered, "That's close enough."

With this he sat and thought. I felt I had offended him, so I spoke. "I will be glad to help. I will teach you how to live off the land. It is very easy. No one need find you."

His eyebrows gathered together again. This was characteristic of Bando when he was concerned, and so I was sorry I had mentioned his past. After all, outlaw or no outlaw, he was an adult, and I still felt unsure of myself around adults. I changed the subject.

"Let's get some sleep," I said.

"Where do you sleep?" he asked. All this time sitting and talking with me, and he had not seen the entrance to my tree. I was pleased. Then I beckoned, walked a few feet to the left, pushed back the deer-hide door, and showed Bando my secret.

"Thoreau," he said. "You are quite wonderful." He went in. I lit the turtle candle for him, he explored, tried the bed, came out and shook his head until I thought it would roll off.

We didn't say much more that night. I let him sleep on my bed. His feet hung off, but he was comfortable, he said. I stretched out by the fire. The ground was dry, the night warm, and I could sleep on anything now.

I got up early and had breakfast ready when Bando

came stumbling out of the tree. We ate crayfish, and he really honestly seemed to like them. It takes a little time to acquire a taste for wild foods, so Bando surprised me the way he liked the menu. Of course he was hungry, and that helped.

That day we didn't talk much, just went over the mountain collecting foods. I wanted to dig up the tubers of the Solomon's seal from a big garden of them on the other side of the gorge. We fished, we swam a little, and I told him I hoped to make a raft pretty soon, so I could float into deeper water and perhaps catch bigger fish.

When Bando heard this, he took my ax and immediately began to cut young trees for this purpose. I watched him and said, "You must have lived on a farm or something."

At that moment a bird sang.

"The wood pewee," said Bando, stopping his work. He stepped into the woods, seeking it. Now I was astonished.

"How would you know about a wood pewee in your business?" I grew bold enough to ask.

"And just what do you think my business is?" he said as I followed him.

"Well, you're not a minister."

"Right!"

"And you're not a doctor or a lawyer."

"Correct."

"You're not a businessman or a sailor."

"No, I am not."

"Nor do you dig ditches."

"I do not."

"Well . . ."

"Guess."

Suddenly I wanted to know for sure. So I said it.

"You are a murderer or a thief or a racketeer; and you are hiding out."

Bando stopped looking for the pewee. He turned and stared at me. At first I was frightened. A bandit might do anything. But he wasn't mad, he was laughing. He had a good deep laugh and it kept coming out of him. I smiled, then grinned and laughed with him.

"What's funny, Bando?" I asked.

"I like that," he finally said. "I like that a lot." The tickle deep inside him kept him chuckling. I had no more to say, so I ground my heel in the dirt while I waited for him to get over the fun and explain it all to me.

"Thoreau, my friend, I am just a college English teacher lost in the Catskills. I came out to hike around the woods, got completely lost yesterday, found your fire and fell asleep beside it. I was hoping the scoutmaster and his troop would be back for supper and help me home."

"Oh, no." My comment. Then I laughed. "You see, Bando, before I found you, I heard squad cars screaming up the road. Occasionally you read about bandits that hide out in the forest, and I was just so sure that you were someone they were looking for."

We gave up the pewee and went back to the raft-making, talking very fast now, and laughing a lot. He was fun. Then something sad occurred to me.

"Well, if you're not a bandit, you will have to go home very soon, and there is no point in teaching you how to live on fish and bark and plants."

"I can stay a little while," he said. "This is summer vacation. I must admit I had not planned to eat crayfish on my vacation, but I am rather getting to like it.

"Maybe I can stay until your school opens," he went on. "That's after Labor Day, isn't it?"

I was very still, thinking how to answer that.

Bando sensed this. Then he turned to me with a big grin.

"You really mean you are going to try to winter it out here?"

"I think I can."

"Well!" He sat down, rubbed his forehead in his hands, and looked at me. "Thoreau, I have led a varied life—dishwasher, sax player, teacher. To me it has been an interesting life. Just now it seems very dull." He sat awhile with his head down, then looked up at the mountains and the rocks and trees. I heard him sigh.

"Let's go fish. We can finish this another day."

That is how I came to know Bando. We became very good friends in the week or ten days that he stayed with me, and he helped me a lot. We spent several days gathering white oak acorns and groundnuts, harvesting the blueberry crop and smoking fish.

We flew Frightful every day just for the pleasure of lying on our backs in the meadow and watching her mastery of the sky. I had lots of meat, so what she caught those days was all hers. It was a pleasant time, warm, with occasional thundershowers, some of which we stayed out in. We talked about books. He did know a lot of books, and could quote exciting things from them.

One day Bando went to town and came back with five pounds of sugar.

"I want to make blueberry jam," he announced. "All those excellent berries and no jam."

He worked two days at this. He knew how to make jam. He'd watched his pa make it in Mississippi, but we got stuck on what to put it in.

I wrote this one night:

"August 29

"The raft is almost done. Bando has promised to stay until we can sail out into the deep fishing holes.

"Bando and I found some clay along the stream bank. It was as slick as ice. Bando thought it would make good pottery. He shaped some jars and lids. They look good—not Wedgwood, he said, but containers. We dried them on the rock in the meadow, and later Bando made a clay oven and baked them in it. He thinks they might hold the blueberry jam he has been making.

"Bando got the fire hot by blowing on it with some homemade bellows that he fashioned from one of my skins that he tied together like a balloon. A reed is the nozzle.

"August 30

"It was a terribly hot day for Bando to be firing clay jars, but he stuck with it. They look jam-worthy, as he says, and he filled three of them tonight. The jam is good, the pots remind me of crude flower pots without the hole in the bottom. Some of the lids don't fit. Bando says he will go home and read more about pottery making so that he can do a better job next time.

"We like the jam. We eat it on hard acorn pancakes.

"Later. Bando met The Baron Weasel today for the first time. I don't know where The Baron has been this past week, but suddenly he appeared on the rock, and nearly jumped down Bando's shirt collar. Bando said he liked The Baron best when he was in his hole.

"September 3

"Bando taught me how to make willow whistles today. He and I went to the stream and cut two fat twigs about eight inches long. He slipped the bark on them. That means he pulled the wood out of the bark, leaving a tube. He made a mouthpiece at one end, cut a hole beneath it, and used the wood to slide up and down like a trombone.

"We played music until the moon came up. Bando could even play jazz on the willow whistles. They are wonderful instruments, sounding much like the wind in

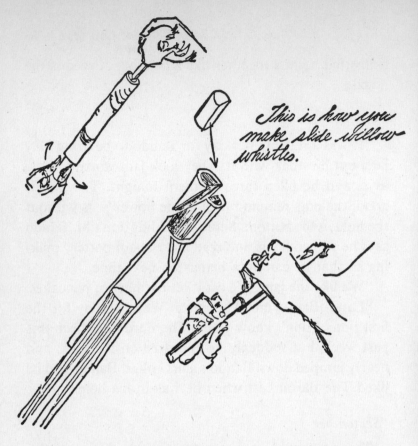

This is how you make slide willow whistles.

the top of the hemlocks. Sad tunes are best suited to willow whistles. When we played 'The Young Voyageur' tears came to our eyes, it was so sad."

There were no more notes for many days. Bando had left me saying: "Good-by, I'll see you at Christmas." I was so lonely that I kept sewing on my moccasins to keep myself busy. I sewed every free minute for four days, and when they were finished, I began a glove to protect my hand from Frightful's sharp talons.

One day when I was thinking very hard about being alone, Frightful gave her gentle call of love and contentment. I looked up.

"Bird," I said. "I had almost forgotten how we used to talk." She made tiny movements with her beak and fluffed her feathers. This was a language I had forgotten since Bando came. It meant she was glad to see me and hear me, that she was well fed, and content. I picked her up and squeaked into her neck feathers. She moved her beak, turned her bright head, and bit my nose very gently.

Jessie Coon James came down from the trees for the first time in ten days. He finished my fish dinner. Then just before dusk, The Baron came up on his boulder and scratched and cleaned and played with a fern leaf.

I had the feeling we were all back together again.

IN WHICH
The Autumn Provides Food and Loneliness

September blazed a trail into the mountains. First she burned the grasses. The grasses seeded and were harvested by the mice and the winds.

Then she sent the squirrels and chipmunks running boldly through the forest, collecting and hiding nuts.

Then she frosted the aspen leaves and left them sunshine yellow.

Then she gathered the birds together in flocks, and the mountaintop was full of songs and twitterings and flashing wings. The birds were ready to move to the south.

And I, Sam Gribley, felt just wonderful, just wonderful.

I pushed the raft down the stream and gathered arrowleaf bulbs, cattail tubers, bulrush roots, and the nutlike tubers of the sedges.

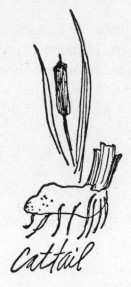

Cattail

And then the crop of crickets appeared and Frightful hopped all over the meadow snagging them in her great talons and eating them. I tried them, because I had heard they are good. I think it was another species of cricket that was meant. I think the field cricket would taste excellent if you were starving. I was not starving, so I preferred to listen to them. I abandoned the crickets and went back to the goodness of the earth.

I smoked fish and rabbit, dug wild onions by the pouchful, and raced September for her crop.

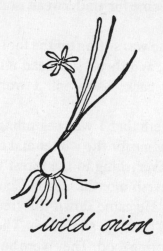

wild onion

"*October 15*

"Today The Baron Weasel looked moldy. I couldn't get near enough to see what was the matter with him, but it occurs to me that he might be changing his summer fur for his white winter mantle. If he is, it is an itchy process. He scratches a lot."

Seeing The Baron changing his mantle for winter awoke the first fears in me. I wrote that note on a little birch bark, curled up on my bed, and shivered.

The snow and the cold and the long lifeless months are ahead, I thought. The wind was blowing hard and cool across the mountain. I lit my candle, took out the rabbit and squirrel hides I had been saving, and began rubbing and kneading them to softness.

The Baron was getting a new suit for winter. I must have one too. Some fur underwear, some mittens, fur-lined socks.

Frightful, who was sitting on the foot post of the bed, yawned, fluffed, and thrust her head into the slate gray feathers of her back. She slept. I worked for several hours.

I must say here that I was beginning to wonder if I should not go home for the winter and come back again in the spring. Everything in the forest was getting prepared for the harsh months. Jessie Coon James was as fat as a barrel. He came down the tree slowly, his fat falling in a roll over his shoulders. The squirrels were working and storing food. They were building leaf nests. The skunks had burrows and plugged themselves in at dawn with bunches of leaves. No drafts could reach them.

As I thought of the skunks and all the animals preparing themselves against the winter, I realized suddenly that my tree would be as cold as the air if I did not somehow find a way to heat it.

"NOTES:

"Today I rafted out into the deep pools of the creek to fish. It was a lazy sort of autumn day, the sky clear, the leaves beginning to brighten, the air warm. I stretched out on my back because the fish weren't biting, and hummed.

"My line jerked and I sat up to pull, but was too late. However, I was not too late to notice that I had drifted into the bank—the very bank where Bando had dug the clay for the jam pots.

"At that moment I knew what I was going to do. I was going to build a fireplace of clay, even fashion a little chimney of clay. It would be small, but enough to warm the tree during the long winter.

"Next Day

"I dragged the clay up the mountain to my tree in my second best pair of city pants. I tied the bottoms of the legs, stuffed them full, and as I looked down on my strange cargo, I thought of scarecrows and Halloween. I thought of the gang dumping ashcans on Third Avenue and soaping up the windows. Suddenly I was terribly lonely. The air smelled of leaves and the cool wind from the stream hugged me. The warblers in the trees above me seemed gay and glad about their trip south. I stopped halfway up the mountain and dropped my head. I was lonely and on the verge of tears. Suddenly there was a flash, a pricking sensation on my leg, and

I looked down in time to see The Baron leap from my pants to the cover of fern.

"He scared the loneliness right out of me. I ran after him and chased him up the mountain, losing him from time to time in the ferns and crowfeet. We stormed into camp an awful sight, The Baron bouncing and screaming ahead of me, and me dragging that half scarecrow of clay.

"Frightful took one look and flew to the end of her leash. She doesn't like The Baron, and watches him— well, like a hawk. I don't like to leave her alone. End notes. Must make fireplace."

It took three days to get the fireplace worked out so that it didn't smoke me out of the tree like a bee. It was an enormous problem. In the first place, the chimney sagged because the clay was too heavy to hold itself up, so I had to get some dry grasses to work into it so it could hold its own weight.

I whittled out one of the old knotholes to let the smoke out, and built the chimney down from this. Of course when the clay dried, it pulled away from the tree, and all the smoke poured back in on me.

So I tried sealing the leak with pine pitch, and that worked all right, but then the funnel over the fire bed cracked, and I had to put wooden props under that.

The wooden props burned, and I could see that this wasn't going to work either; so I went down the mountain to the site of the old Gribley farmhouse and looked around for some iron spikes or some sort of metal.

I took the wooden shovel that I had carved from the board and dug around what I thought must have been the back door or possibly the woodhouse.

I found a hinge, old handmade nails that would come in handy, and finally, treasure of treasures, the axle of an old wagon. It was much too big. I had no hacksaw to cut it into smaller pieces, and I was not strong enough to heat it and hammer it apart. Besides, I didn't have anything but a small wooden mallet I had made.

I carried my trophies home and sat down before my tree to fix dinner and feed Frightful. The evening was cooling down for a frost. I looked at Frightful's warm feathers. I didn't even have a deer hide for a blanket. I had used the two I had for a door and a pair of pants. I wished that I might grow feathers.

I tossed Frightful off my fist and she flashed through the trees and out over the meadow. She went with a determination strange to her. "She is going to leave," I cried. "I have never seen her fly so wildly." I pushed the smoked fish aside and ran to the meadow. I whistled and whistled and whistled until my mouth was dry and no more whistle came.

I ran onto the big boulder. I could not see her. Wildly I waved the lure. I licked my lips and whistled again. The sun was a cold steely color as it dipped below the mountain. The air was now brisk, and Frightful was gone. I was sure that she had suddenly taken off on the migration; my heart was sore and pounding. I had enough food, I was sure. Frightful was not absolutely necessary for my survival; but I was now so fond of her. She was more than a bird. I knew I must have her back to talk to and play with if I was going to make it through the winter.

I whistled. Then I heard a cry in the grasses up near the white birches.

In the gathering darkness I saw movement. I think I flew to the spot. And there she was; she had caught herself a bird. I rolled into the grass beside her and clutched her jesses. She didn't intend to leave, but I was going to make sure that she didn't. I grabbed so swiftly that my hand hit a rock and I bruised my knuckles.

The rock was flat and narrow and long; it was the answer to my fireplace. I picked up Frightful in one hand and the stone in the other; and I laughed at the cold steely sun as it slipped out of sight, because I knew I was going to be warm. This flat stone was what I needed to hold up the funnel and finish my fireplace.

And that's what I did with it. I broke it into two pieces, set one on each side under the funnel, lit the fire, closed the flap of the door and listened to the wind bring the first frost to the mountain. I was warm.

Then I noticed something dreadful. Frightful was sitting on the bedpost, her head under her wings. She was toppling. She jerked her head out of her feathers. Her eyes looked glassy. She is sick, I said. I picked her up and stroked her, and we both might have died there if I had not opened the tent flap to get her some water.

The cold night air revived her. "Air," I said. "The fireplace used up all the oxygen. I've got to ventilate this place."

We sat out in the cold for a long time because I was more than a little afraid of what our end might have been.

I put out the fire, took the door down and wrapped up in it. Frightful and I slept with the good frost nipping our faces.

"NOTES:

"I cut out several more knotholes to let air in and out of the tree room. I tried it today. I have Frightful on my fist watching her. It's been about two hours and she hasn't fainted and I haven't gone numb. I can still write and see clearly.

"Test: Frightful's healthy face."

IN WHICH
We All Learn About Halloween

"*October 28*

"I have been up and down the mountain every day for a week, watching to see if walnuts and hickory nuts are ripe. Today I found the squirrels all over the trees, harvesting them furiously, and so I have decided that ripe or not, I must gather them. It's me or the squirrels.

"I tethered Frightful in the hickory tree while I went to the walnut tree and filled pouches. Frightful protected the hickory nuts. She keeps the squirrels so busy scolding her that they don't have time to take the nuts. They are quite terrified by her. It is a good scheme. I shout and bang the tree and keep them away while I gather.

"I have never seen so many squirrels. They hang from the slender branches, they bounce through the limbs, they seem to come from the whole forest. They must pass messages along to each other—messages that tell what kind of nuts and where the trees are."

A few days later, my storehouse rolling with nuts, I began the race for apples. Entering this race were squirrels, raccoons, and a fat old skunk who looked as if he could eat not another bite. He was ready to sleep his autumn meal off, and I resented him because he did not need my apples. However, I did not toy with him.

I gathered what apples I could, cut some in slices, and dried them on the boulder in the sun. Some I put in the storeroom tree to eat right away. They were a little wormy, but it was wonderful to eat an apple again.

Then one night this was all done, the crop was gathered. I sat down to make a few notes when The Baron came sprinting into sight.

He actually bounced up and licked the edges of my turtle-shell bowl, stormed Frightful, and came to my feet.

"Baron Weasel," I said. "It is nearing Halloween. Are you playing tricks or treats?" I handed him the remains of my turtle soup dinner, and, fascinated, watched him devour it.

"NOTES:

"The Baron chews with his back molars, and chews with a ferocity I have not seen in him before. His eyes gleam, the lips curl back from his white pointed teeth, and he frowns like an angry man. If I move toward him, a rumble starts in his chest that keeps me back. He flashes glances at me. It is indeed strange to be looked in the eye by this fearless wild animal. There is something human about his beady glance. Perhaps because that glance tells me something. It tells me he knows who I am and that he does not want me to come any closer."

The Baron Weasel departed after his feast. Frightful, who was drawn up as skinny as a stick, relaxed and fluffed her feathers, and then I said to her, "See, he got his treats. No tricks." Then something occurred to me. I reached inside the door and pulled out my calendar stick. I counted 28, 29, 30, 31.

"Frightful, that old weasel knows. It is Halloween. Let's have a Halloween party."

Swiftly I made piles of cracked nuts, smoked rabbit, and crayfish. I even added two of my apples. This food was an invitation to the squirrels, foxes, raccoons, opossums, even the birds that lived around me to come have a party.

When Frightful is tethered to her stump, some of the animals and birds will only come close enough to scream at her. So bird and I went inside the tree, propped open the flap, and waited.

Not much happened that night. I learned that it takes a little time for the woodland messages to get around. But they do. Before the party I had been very careful about leaving food out because I needed every mouthful. I took the precaution of rolling a stone in front of my store tree. The harvest moon rose. Frightful and I went to sleep.

At dawn, we abandoned the party. I left the treats out, however. Since it was a snappy gold-colored day, we went off to get some more rabbit skins to finish my winter underwear.

We had lunch along the creek—stewed mussels and wild potatoes. We didn't get back until dusk because I discovered some wild rice in an ox bow of the stream. There was no more than a handful.

Home that night, everything seemed peaceful enough. A few nuts were gone, to the squirrels, I thought. I baked a fish in leaves, and ate a small, precious amount of wild rice. It was marvelous! As I settled

wild potato

down to scrape the rabbit skins of the day, my neighbor the skunk marched right into the campground and set to work on the smoked rabbit. I made some Halloween notes:

"The moon is coming up behind the aspens. It is as big as a pumpkin and as orange. The winds are cool, the stars are like electric light bulbs. I am just inside the doorway, with my turtle-shell lamp burning so that I can see to write this.

"Something is moving beyond the second hemlock. Frightful is very alert, as if there are things all around us. Halloween was over at midnight last night, but for us it is just beginning. That's how I feel, anyhow, but it just may be my imagination.

"I wish Frightful would stop pulling her feathers in and drawing herself up like a spring. I keep thinking that she feels things.

"Here comes Jessie C. James. He will want the venison.

"He didn't get the venison. There was a snarl, and a big raccoon I've never seen walked past him, growling and looking ferocious. Jessie C. stood motionless—I might say, scared stiff. He held his head at an angle and let the big fellow eat. If Jessie so much as rolled his eyes that old coon would sputter at him."

It grew dark, and I couldn't see much. An eerie yelp behind the boulder announced that the red fox of the meadow was nearing. He gave me goose bumps. He stayed just beyond my store tree, weaving back and forth on silent feet. Every now and then he would cry— a wavery owllike cry. I wrote some more.

"The light from my turtle lamp casts leaping shadows. To the beechnuts has come a small gray animal. I can't make out what—now, I see it. It's a flying squirrel. That surprises me, I've never seen a flying squirrel around here, but of course I haven't been up much after sunset."

When it grew too dark to see, I lit a fire, hoping it would not end the party. It did not, and the more I watched, the more I realized that all these animals were familiar with my camp. A white-footed mouse walked over my woodpile as if it were his.

I put out the candle and fell asleep when the fire turned to coals. Much later I was awakened by screaming. I lifted my head and looked into the moonlit forest. A few guests, still lingering at the party, saw me move, and dashed bashfully into the ground cover. One was big and slender. I thought perhaps a mink. As I slowly came awake, I realized that screaming was coming from behind me. Something was in my house. I jumped up and shouted, and two raccoons skittered under my feet. I reached for my candle, slipped on hundreds of nuts, and fell. When I finally got a light and looked about me, I was dismayed to see what a mess my guests had made of my tree house. They had found the cache of acorns and beechnuts and had tossed them all over my bed and floor. The party was getting rough.

I chased the raccoons into the night and stumbled over a third animal and was struck by a wet stinging spray. It was skunk! I was drenched. As I got used to the indignity and the smell, I saw the raccoons cavort around my fireplace and dodge past me. They were back in my tree before I could stop them.

A bat winged in from the darkness and circled the tallow candle. It was Halloween and the goblins were at work. I thought of all the ash cans I had knocked over on the streets of New York. It seemed utterly humorless.

Having invited all these neighbors, I was now faced with the problem of getting rid of them. The raccoons were feeling so much at home that they snatched up beechnuts, bits of dried fish and venison and tossed them playfully into the air. They were too full to eat any more, but were having a marvelous time making toys out of my hard-won winter food supply.

I herded the raccoons out of the tree and laced the door. I was breathing "relief" when I turned my head to the left, for I sensed someone watching me. There in the moonlight, his big ears erect on his head, sat the red fox. He was smiling—I know he was. I shouted, "Stop laughing!" and he vanished like a magician's handkerchief.

All this had awakened Frightful, who was flopping in the dark in the tree. I reached in around the deer flap to stroke her back to calmness. She grabbed me so hard I yelled—and the visitors moved to the edge of my camp at my cry.

Smelling to the sky, bleeding in the hand, and robbed of part of my hard-won food, I threw wood on the fire and sent an enormous shaft of light into the night. Then I shouted. The skunk moved farther away. The raccoons galloped off a few feet and galloped back. I snarled at them. They went to the edge of the darkness and stared at me. I had learned something that night from that very raccoon bossing Jessie C. James—to animals, might is right. I was biggest and I was oldest, and I was going to tell them so. I growled and snarled and hissed and snorted. It worked. They understood and moved away. Some looked back and their eyes glowed. The red eyes chilled me. Never had there been a more real Halloween night. I looked up, expecting to see a witch. The last bat of the season darted in the moonlight. I dove on my bed, and tied the door. There are no more notes about Halloween.

IN WHICH
I Find Out What to Do with Hunters

That party had a moral ending. Don't feed wild animals! I picked up and counted my walnuts and hickory nuts. I was glad to discover there was more mess than loss. I decided that I would not only live until spring but that I still had more nuts than all the squirrels on Gribley's (including flying squirrels).

In early November I was awakened one morning by a shot from a rifle. The hunting season had begun! I had forgotten all about that. To hide from a swarm of hunters was truly going to be a trick. They would be behind every tree and on every hill and dale. They would be shooting at everything that moved, and here was I in deerskin pants and dirty brown sweater, looking like a deer.

I decided, like the animals, to stay holed up the first

day of the season. I whittled a fork and finished my rabbit-skin winter underwear. I cracked a lot of walnuts.

The second day of the hunting season I stuck my head out of my door and decided my yard was messy. I picked it up so that it looked like a forest floor.

The third day of the hunting season some men came in and camped by the gorge. I tried to steal down the other side of the mountain to the north stream, found another camp of hunters there, and went back to my tree.

By the end of the week both Frightful and I were in need of exercise. Gunshots were still snapping around the mountain. I decided to go see Miss Turner at the library. About an hour later I wrote this:

"I got as far as the edge of the hemlock grove when a shot went off practically at my elbow. I didn't have Frightful's jesses in my hand and she took off at the blast. I climbed a tree. There was a hunter so close to me he could have bitten me, but apparently he was busy watching his deer. I was able to get up into the high branches without being seen. First, I looked around for Frightful. I could see her nowhere. I wanted to whistle for her but didn't think I should. I sat still and looked and wondered if she'd go home.

"I watched the hunter track his deer. The deer was still running. From where I was I could see it plainly, going toward the old Gribley farm site. Quietly I climbed higher and watched. Then of all things, it jumped the stone fence and fell dead.

"I thought I would stay in the tree until the hunter quartered his kill and dragged it out to the road. Ah, then, it occurred to me that he wasn't even going to find that deer. He was going off at an angle, and from what I could see, the deer had dropped in a big bank of dry ferns and would be hard to find.

"It got to be nerve-racking at this point. I could see my new jacket lying in the ferns, and the hunter looking for it. I closed my eyes and mentally steered him to the left.

"Then, good old Frightful! She had winged down the mountain and was sitting in a sapling maple not far from the deer. She saw the man and screamed. He looked in her direction; heaven knows what he thought she was, but he turned and started toward her. She rustled her wings, climbed into the sky, and disappeared over my head. I did want to whistle to her, but feared for my deer, myself, and her.

"I hung in the tree and waited about a half an hour. Finally the man gave up his hunt. His friends called, and he went on down the mountain. I went down the tree.

"In the dry ferns lay a nice young buck. I covered it carefully with some of the stones from the fence, and more ferns, and rushed home. I whistled, and down from the top of my own hemlock came Frightful. I got a piece of birch bark to write all this on so I wouldn't get too anxious and go for the deer too soon.

"We will wait until dark to go get our dinner and my new jacket. I am beginning to think I'll have all the deer hide and venison I can use. There must be other lost game on this mountain."

I got the deer after dark, and I was quite right. Before the season was over I got two more deer in the same way. However, with the first deer to work on, the rest of the season passed quickly. I had lots of scraping and preparing to do. My complaint was that I did not dare light a fire and cook that wonderful meat. I was afraid of being spotted. I ate smoked venison, nut meats, and hawthorn berries. Hawthorn berries taste a little bit like apples. They are smaller and drier than apples. They also have big seeds in them. The hawthorn bush is easy to tell because it has big red shiny thorns on it.

Each day the shooting lessened as the hunters left the hills and went home. As they cleared out, Frightful and I were freer and freer to roam.

The air temperature now was cold enough to preserve the venison, so I didn't smoke the last two deer, and about two weeks after I heard that first alarming shot, I cut off a beautiful steak, built a bright fire, and when the embers were glowing, I had myself a real dinner. I soaked some dried puffballs in water, and when they were big and moist, I fried them with wild onions and skimpy old wild carrots and stuffed myself until I felt kindly toward all men. I wrote this:

"November 26

"Hunters are excellent friends if used correctly. Don't let them see you; but follow them closely. Preferably use the tops of trees for this purpose, for hunters don't look up. They look down and to the right and left and straight ahead. So if you stay in the trees, you can not only see what they shoot, but where it falls, and if you are extremely careful, you can sometimes get to it before they do and hide it. That's how I got my third deer."

I had a little more trouble tanning these hides because the water in my oak stump kept freezing at night. It was getting cold. I began wearing my rabbit-fur underwear most of the morning. It was still too warm at noon to keep it on, but it felt good at night. I slept in it until I got my blanket made. I did not scrape the deer hair off my blanket. I liked it on. Because I had grown, one deerskin wouldn't cover me. I sewed part of another one to it.

The third hide I made into a jacket. I just cut a rectangle with a hole in it for my head and sewed on straight wide sleeves. I put enormous pockets all over

it, using every scrap I had, including the pouches I had made last summer. It looked like a cross between a Russian military blouse and a carpenter's apron, but it was warm, roomy and, I thought, handsome.

IN WHICH
Trouble Begins

I stood in my doorway the twenty-third of November dressed from head to toe in deerskins. I was lined with rabbit fur. I had mittens and squirrel-lined moccasins. I was quite excited by my wardrobe.

I whistled and Frightful came to my fist. She eyed me with her silky black eyes and pecked at my suit.

"Frightful," I said, "this is not food. It is my new suit. Please don't eat it." She peeped softly, fluffed her feathers, and looked gently toward the meadow.

"You are beautiful, too, Frightful," I said, and I touched the slate gray feathers of her back. Very gently I stroked the jet black ones that came down from her eyes. Those beautiful marks gave her much of her superb dignity. In a sense she had also come into a new suit. Her plumage had changed during the autumn, and she was breathtaking.

I walked to the spring and we looked in. I saw us quite clearly, as there were no longer any frogs to plop in the water and break the mirror with circles and ripples.

"Frightful," I said as I turned and twisted and looked. "We would be quite handsome if it were not for my hair. I need another haircut."

I did the best job I was able to do with a penknife.

I made a mental note to make a hat to cover the stray ends.

Then I did something which took me by surprise. I smelled the clean air of November, turned once more to see how the back of my suit looked, and walked down the mountain. I stepped over the stream on the stones. I walked to the road.

Before I could talk myself out of it, I was on my way to town.

As I walked down the road, I kept pretending I was going to the library; but it was Sunday, and I knew the library was closed.

I tethered Frightful just outside town on a stump. I didn't want to attract any attention. Kicking stones as I went, and whistling, I walked to the main intersection of town as if I came every Sunday.

I saw the drugstore and began to walk faster, for I was beginning to sense that I was not exactly what everybody saw every day. Eyes were upon me longer than they needed to be.

By the time I got to the drugstore, I was running. I slipped in and went to the magazine stand. I picked up a comic book and began to read.

Footsteps came toward me. Below the bottom pictures I saw a pair of pants and saddle shoes. One shoe went *tap, tap*. The feet did a kind of hop step, and I watched them walk to the other side of me. *Tap, tap, tap,* again; a hop step and the shoes and pants circled me. Then came the voice. "Well, if it isn't Daniel Boone!"

I looked into a face about the age of my own—but a little more puppyish—I thought. It had about the same coloring—brown eyes, brown hair—a bigger nose than mine, and more ears, but a very assured face. I said, "Well?" I grinned, because it had been a long time since I had seen a young man my age.

The young man didn't answer, he simply took my sleeve between his fingers and examined it closely. "Did you chew it yourself?" he asked.

I looked at the spot he was examining and said, "Well, no, I pounded it on a rock there, but I did have to chew it a bit around the neck. It stuck me."

We looked at each other then. I wanted to say something, but didn't know where to begin. He picked at my sleeve again.

"My kid brother has one that looks more real than that thing. Whataya got that on for anyway?"

I looked at his clothes. He had on a nice pair of gray slacks, a white shirt opened at the neck, and a leather jacket. As I looked at these things, I found my voice.

"Well, I'd rip anything like you have on all to pieces in about a week."

He didn't answer; he walked around me again.

"Where did you say you came from?"

"I didn't say, but I come from a farm up the way."

"Whatja say your name was?"

"Well, you called me Daniel Boone."

"Daniel Boone, eh?" He walked around me once more, and then peered at me.

"You're from New York. I can tell the accent." He leaned against the cosmetic counter. "Come on, now, tell me, is this what the kids are wearing in New York now? Is this gang stuff?"

"I am hardly a member of a gang," I said. "Are you?"

"Out here? Naw, we bowl." The conversation went to bowling for a while, then he looked at his watch.

"I gotta go. You sure are a sight, Boone. Whatja doing anyway, playing cowboys and Indians?"

"Come on up to the Gribley farm and I'll show you what I'm doing. I'm doing research. Who knows when we're all going to be blown to bits and need to know how to smoke venison."

"Gee, you New York guys can sure double talk. What does that mean, burn a block down?"

"No, it means smoke venison," I said. I took a piece out of my pocket and gave it to him. He smelled it and handed it back.

"Man," he said, "whataya do, eat it?"

"I sure do," I answered.

"I don't know whether to send you home to play with my kid brother or call the cops." He shrugged his shoulders and repeated that he had to go. As he left, he called back, "The Gribley farm?"

"Yes. Come on up if you can find it."

I browsed through the magazines until the clerk got anxious to sell me something and then I wandered out. Most of the people were in church. I wandered around the town and back to the road.

It was nice to see people again. At the outskirts of town a little boy came bursting out of a house with his shoes off, and his mother came bursting out after him. I caught the little fellow by the arm and I held him until his mother picked him up and took him back. As she went up the steps, she stopped and looked at me. She stepped toward the door, and then walked back a few steps and looked at me again. I began to feel conspicuous and took the road to my mountain.

I passed the little old strawberry lady's house. I almost went in, and then something told me to go home.

I found Frightful, untied her, stroked her creamy breast feathers, and spoke to her. "Frightful, I made a friend today. Do you think that is what I had in mind all the time?" The bird whispered.

I was feeling sad as we kicked up the leaves and started home through the forest. On the other hand, I was glad I had met Mr. Jacket, as I called him. I never asked his name. I had liked him although we hadn't even had a fight. All the best friends I had, I always fought, then got to like them after the wounds healed.

The afternoon darkened. The nuthatches that had been clinking around the trees were silent. The chickadees had vanished. A single crow called from the edge of the road. There were no insects singing, there were no catbirds, or orioles, or vireos, or robins.

"Frightful," I said. "It is winter. It is winter and I have forgotten to do a terribly important thing—stack up a big woodpile." The stupidity of this sent Mr. Jacket right out of my mind, and I bolted down the valley to my mountain. Frightful flapped to keep her balance. As I crossed the stones to my mountain trail, I said to that bird, "Sometimes I wonder if I will make it to spring."

IN WHICH
I Pile Up Wood and Go on with Winter

Now I am almost to that snowstorm. The morning after I had the awful thought about the wood, I got up early. I was glad to hear the nuthatches and chickadees. They gave me the feeling that I still had time to chop. They were bright, busy, and totally unworried about storms. I shouldered my ax and went out.

I had used most of the wood around the hemlock house, so I crossed to the top of the gorge. First I took all the dry limbs off the trees and hauled them home. Then I chopped down dead trees. With wood all around me, I got in my tree and put my arm out. I made an *x* in the needles. Where the *x* lay, I began stacking wood. I wanted to be able to reach my wood from the tree when the snow was deep. I piled a big stack at this point. I reached out the other side of the door and made another *x*. I piled wood here. Then I stepped around my piles and had a fine idea. I decided that if I used up one pile, I could tunnel through the snow to the next and the next. I made many woodpiles leading out into the forest.

I watched the sky. It was as blue as summer, but ice was building up along the waterfall at the gorge. I knew winter was coming, although each day the sun would rise in a bright sky and the days would follow cloudless. I piled more wood. This is when I realized that I was scared. I kept cutting wood and piling it like a nervous child biting his nails.

It was almost with relief that I saw the storm arrive.

Now I am back where I began. I won't tell it again, I shall go on now with my relief and the fun and wonderfulness of living on a mountaintop in winter.

The Baron Weasel loved the snow, and was up and about in it every day before Frightful and I had had our breakfast. Professor Bando's jam was my standby on those cold mornings. I would eat mounds of it on my hard acorn pancakes, which I improved by adding hickory nuts. With these as a bracer for the day, Frightful and I would stamp out into the snow and reel down the mountain. She would fly above my head as I slid and plunged and rolled to the creek.

The creek was frozen. I would slide out onto it and break a little hole and ice fish. The sun would glance off the white snow, the birds would fly through the trees, and I would come home with a fresh meal from the valley. I found there were still plants under the snow, and I would dig down and get teaberry leaves and wintergreen. I got this idea from the deer, who found a lot to eat under the snow. I tried some of the mosses that they liked, but decided moss was for the deer.

Around four o'clock we would all wander home. The nuthatches, the chickadees, the cardinals, Frightful, and me. And now came the nicest part of wonderful days. I would stop in the meadow and throw Frightful off my fist. She would wind into the sky and wait above me as I kicked the snow-bent grasses. A rabbit would pop up, or sometimes a pheasant. Out of the sky, from a pinpoint of a thing, would dive my beautiful falcon. And, oh, she was beautiful when she made a strike—all power and beauty. On the ground she would cover her quarry. Her perfect feathers would stand up on her body and her wings would arch over the food. She never touched it until I came and picked her up. I would go home and feed her, then crawl into my tree room, light a little fire on my hearth, and Frightful and I would begin the winter evening.

I had lots of time to cook and try mixing different plants with different meats to make things taste better— and I must say I originated some excellent meals.

When dinner was done, the fire would blaze on; Frightful would sit on the foot post of the bed and preen and wipe her beak and shake. Just the fact that she was alive was a warming thing to know.

I would look at her and wonder what made a bird a bird and a boy a boy. The forest would become silent. I would know that The Baron Weasel was about, but I would not hear him.

Then I would get a piece of birch bark and write, or I would make new things out of deer hide, like a hood for Frightful, and finally I would take off my suit and my moccasins and crawl into my bed under the sweet-smelling deerskin. The fire would burn itself out and I would be asleep.

Those were nights of the very best sort.

One night I read some of my old notes about how to pile wood so I could get to it under the snow, and I laughed until Frightful awoke. I hadn't made a single tunnel. I walked on the snow to get wood like The Baron Weasel went for food or the deer went for moss.

IN WHICH
I Learn About Birds and People

Frightful and I settled down to living in snow. We went to bed early, slept late, ate the mountain harvest, and explored the country alone. Oh, the deer walked with us, the foxes followed in our footsteps, the winter birds flew over our heads, but mostly we were alone in the white wilderness. It was nice. It was very, very nice. My deerskin rabbit-lined suit was so warm that even when my breath froze in my nostrils, my body was snug and comfortable. Frightful fluffed on the coldest days, but a good flight into the air around the mountain would warm her, and she would come back to my fist with a thump and a flip. This was her signal of good spirits.

I did not become lonely. Many times during the summer I had thought of the "long winter months ahead" with some fear. I had read so much about the loneliness of the farmer, the trapper, the woodsman during the bleakness of winter that I had come to believe it. The winter was as exciting as the summer—maybe more so. The birds were magnificent and almost tame. They talked to each other, warned each other, fought for food, for kingship, and for the right to make the most noise. Sometimes I would sit in my doorway, which became an entrance to behold—a portico of pure white snow, adorned with snowmen—and watch them with endless interest. They reminded me of Third Avenue, and I gave them the names that seemed to fit.

There was Mr. Bracket. He lived on the first floor of our apartment house, and no one could sit on his step or even make a noise near his door without being chased. Mr. Bracket, the chickadee, spent most of his time chasing the young chickadees through the woods. Only his mate could share his favorite perches and feeding places.

Then there were Mrs. O'Brien, Mrs. Callaway, and Mrs. Federio. On Third Avenue they would all go off to the market together first thing in the morning, talking and pushing and stopping to lecture to children in gutters and streets. Mrs. Federio always followed Mrs. O'Brien, and Mrs. O'Brien always followed Mrs. Callaway in talking and pushing and even in buying an apple. And there they were again in my hemlock; three busy chickadees. They would flit and rush around and click and fly from one eating spot to another. They were noisy, scolding and busily following each other. All the other chickadees followed them, and they made way only for Mr. Bracket.

The chickadees, like the people on Third Avenue, had their favorite routes to and from the best food supplies. They each had their own resting perches and each had a little shelter in a tree cavity to which they would fly when the day was over. They would chatter and call good night and make a big fuss before they parted; and then the forest would be as quiet as the apartment house on Third Avenue when all the kids were off the streets and all the parents had said their last words to each other and everyone had gone to their own little hole.

Sometimes when the wind howled and the snows blew, the chickadees would be out for only a few hours. Even Mr. Bracket, who had been elected by the chickadees to test whether or not it was too stormy for good hunting, would appear for a few hours and disappear. Sometimes I would find him just sitting quietly on a limb next to the bole of a tree, all fluffed up and doing nothing. There was no one who more enjoyed doing nothing on a bad day than Mr. Bracket of Third Avenue.

Frightful, the two Mr. Brackets, and I shared this feeling. When the ice and sleet and snow drove down through the hemlocks, we all holed up.

I looked at my calendar pole one day, and realized that it was almost Christmas. Bando will come, I thought. I'll have to prepare a feast and make a present for him. I took stock of the frozen venison and decided that there were enough steaks for us to eat nothing but venison for a month. I scooped under the snow for teaberry plants to boil down and pour over snowballs for dessert.

I checked my cache of wild onions to see if I had enough to make onion soup, and set aside some large firm groundnuts for mashed potatoes. There were still piles of dogtooth violet bulbs and Solomon's seal roots and a few dried apples. I cracked walnuts, hickory nuts, and beechnuts, then began a pair of deer-hide moccasins to be lined with rabbit fur for Bando's present. I finished these before Christmas, so I started a hat of the same materials.

Two days before Christmas I began to wonder if Bando would come. He had forgotten, I was sure—or he was busy, I said. Or he thought that I was no longer here and decided not to tramp out through the snows to find out. On Christmas Eve Bando still had not arrived, and I began to plan for a very small Christmas with Frightful.

About four-thirty Christmas Eve I hung a small red cluster of teaberries on the deerskin door. I went in my tree room for a snack of beechnuts when I heard a faint "halloooo" from far down the mountain. I snuffed out my tallow candle, jumped into my coat and moccasins, and plunged out into the snow. Again a "halloooo" floated over the quiet snow. I took a bearing on the sound and bounced down the hill to meet Bando. I ran into him just as he turned up the valley to follow the stream bed. I was so glad to see him that I hugged him and pounded him on the back.

"Never thought I'd make it," he said. "I walked all the way from the entrance of the State Park; pretty good, eh?" He smiled and slapped his tired legs. Then he grabbed my arm, and with three quick pinches, tested the meat on me.

"You've been living well," he said. He looked closely at my face. "But you're gonna need a shave in a year or two." I thanked him and we sprang up the mountain, cut across through the gorge and home.

"How's the Frightful?" he asked as soon as we were inside and the light was lit.

I whistled. She jumped to my fist. He got bold and stroked her. "And the jam?" he asked.

"Excellent, except the crocks are absorbent and are sopping up all the juice."

"Well, I brought you some more sugar; we'll try next year. Merry Christmas, Thoreau!" he shouted, and looked about the room.

"I see you have been busy. A blanket, new clothes, and an ingenious fireplace—with a real chimney—and say, you have silverware!" He picked up the forks I had carved.

We ate smoked fish for dinner with boiled dogtooth violet bulbs. Walnuts dipped in jam were dessert. Bando was pleased with his jam.

When we were done, Bando stretched out on my bed. He propped his feet up and lit his pipe.

"And now, I have something to show you," he said. He reached in his coat pocket and took out a newspaper clipping. It was from a New York paper, and it read:

WILD BOY SUSPECTED LIVING OFF DEER
AND NUTS IN WILDERNESS OF CATSKILLS

I looked at Bando and leaned over to read the headline myself.

"Have you been talking?" I asked.

"Me? Don't be ridiculous. You have had several visitors other than me."

"The fire warden—the old lady!" I cried out.

"Now, Thoreau, this could only be a rumor. Just because it is in print, doesn't mean it's true. Before you get excited, sit still and listen." He read:

" 'Residents of Delhi, in the Catskill Mountains, report that a wild boy, who lives off deer and nuts, is hiding out in the mountains.

" 'Several hunters stated that this boy stole deer from them during hunting season.' "

"I did not!" I shouted. "I only took the ones they had wounded and couldn't find."

"Well, that's what they told their wives when they came home without their deer. Anyway, listen to this:

" 'This wild boy has been seen from time to time by Catskill residents, some of whom believe he is crazy!' "

"Well, that's a terrible thing to say!"

"Just awful," he stated. "Any normal red-blooded American boy wants to live in a tree house and trap his own food. They just don't do it, that's all."

"Read on," I said.

" 'Officials say that there is no evidence of any boy living alone in the mountains, and add that all abandoned houses and sheds are routinely checked for just such events. Nevertheless, the residents are sure that such a boy exists!' End story."

"That's a lot of nonsense!" I leaned back against the bedstead and smiled.

"Ho, ho, don't think that ends it," Bando said, and reached in his pocket for another clipping. "This one is dated December fifth, the other was November twenty-third. Shall I read?"

"Yes."

OLD WOMAN REPORTS MEETING WILD BOY
WHILE PICKING STRAWBERRIES IN CATSKILLS

" 'Mrs. Thomas Fielder, ninety-seven, resident of Delhi, N.Y., told this reporter that she met a wild boy on Bitter Mountain last June while gathering her annual strawberry jelly supply.

" 'She said the boy was brown-haired, dusty, and wandering aimlessly around the mountains. However, she added, he seemed to be in good flesh and happy.

" 'The old woman, a resident of the mountain resort town for ninety-seven years, called this office to report her observation. Local residents report that Mrs. Fielder is a fine old member of the community, who only occasionally sees imaginary things.' "

Bando roared. I must say I was sweating, for I really did not expect this turn of events.

"And now," went on Bando, "and now the queen of

the New York papers. This story was buried on page nineteen. No sensationalism for this paper.

BOY REPORTED LIVING OFF LAND IN CATSKILLS

" 'A young boy of seventeen or eighteen, who left home with a group of boy scouts, is reported to be still scouting in that area, according to the fire warden of the Catskill Mountains.

" 'Evidence of someone living in the forest—a fire-place, soup bones, and cracked nuts—was reported by Warden Jim Handy, who spent the night in the wilderness looking for the lad. Jim stated that the young man had apparently left the area, as there was no evidence of his camp upon a second trip—' "

"What second trip?" I asked.

Bando puffed his pipe, looked at me wistfully and said, "Are you ready to listen?"

"Sure," I answered.

"Well, here's the rest of it. '. . . there was no trace of his camp on a second trip, and the warden believes that the young man returned to his home at the end of the summer.'

"You know, Thoreau, I could scarcely drag myself away from the newspapers to come up here. You make a marvelous story."

I said, "Put more wood on the fire, it is Christmas. No one will be searching these mountains until May Day."

Bando asked for the willow whistles. I got them for him, and after running the scale several times, he said, "Let us serenade the ingenuity of the American newspaperman. Then let us serenade the conservationists who have protected the American wilderness, so that a boy can still be alone in this world of millions of people."

I thought that was suitable, and we played "Holy Night." We tried "The Twelve Days of Christmas," but the whistles were too stiff and Bando too tired.

"Thoreau, my body needs rest. Let's give up," he said after two bad starts. I banked the fire and blew out the candle and slept in my clothes.

It was Christmas when we awoke. Breakfast was light—acorn pancakes, jam, and sassafras tea. Bando went for a walk, I lit the fire in the fireplace and spent the morning creating a feast from the wilderness.

I gave Bando his presents when he returned. He liked them. He was really pleased; I could tell by his eyebrows. They went up and down and in and out. Furthermore, I know he liked the presents because he wore them.

The onion soup was about to be served when I heard a voice shouting in the distance, "I know you are there! I know you are there! Where are you?"

"Dad!" I screamed, and dove right through the door onto my stomach. I all but fell down the mountain shouting, "Dad! Dad! Where are you?" I found him resting in a snowdrift, looking at the cardinal pair that

lived near the stream. He was smiling, stretched out on his back, not in exhaustion, but in joy.

"Merry Christmas!" he whooped. I ran toward him. He jumped to his feet, tackled me, thumped my chest, and rubbed snow in my face.

Then he stood up, lifted me from the snow by the pockets on my coat, and held me off the ground so that we were eye to eye. He sure smiled. He threw me down in the snow again and wrestled with me for a few minutes. Our formal greeting done, we strode up the mountain.

"Well, son," he began. "I've been reading about you in the papers and I could no longer resist the temptation to visit you. I still can't believe you did it."

His arm went around me. He looked real good, and I was overjoyed to see him.

"How did you find me?" I asked eagerly.

"I went to Mrs. Fielder, and she told me which mountain. At the stream I found your raft and ice-fishing holes. Then I looked for trails and footsteps. When I thought I was getting warm, I hollered."

"Am I that easy to find?"

"You didn't have to answer, and I'd probably have frozen in the snow." He was pleased and not angry at me at all. He said again, "I just didn't think you'd do it. I was sure you'd be back the next day. When you weren't, I bet on the next week; then the next month. How's it going?"

"Oh, it's a wonderful life, Dad!"

When we walked into the tree, Bando was putting the final touches on the venison steak.

"Dad, this is my friend, Professor Bando; he's a teacher. He got lost one day last summer and stumbled onto my camp. He liked it so well that he came back for Christmas. Bando, meet my father."

Bando turned the steak on the spit, rose, and shook my father's hand.

"I am pleased to meet the man who sired this boy," he said grandly. I could see that they liked each other and that it was going to be a splendid Christmas. Dad stretched out on the bed and looked around.

"I thought maybe you'd pick a cave," he said. "The papers reported that they were looking for you in old sheds and houses, but I knew better than that. However, I never would have thought of the inside of a tree. What a beauty! Very clever, son, very, very clever. This is a comfortable bed."

He noticed my food caches, stood and peered into them. "Got enough to last until spring?"

"I think so," I said. "If I don't keep getting hungry visitors all the time." I winked at him.

"Well, I would wear out my welcome by a year if I could, but I have to get back to work soon after Christmas."

"How's Mom and all the rest?" I asked as I took down the turtle-shell plates and set them on the floor.

"She's marvelous. How she manages to feed and

clothe those eight youngsters on what I bring her, I don't know; but she does it. She sends her love, and says that she hopes you are eating well-balanced meals."

The onion soup was simmering and ready. I gave Dad his.

"First course," I said.

He breathed deeply of the odor and downed it boiling hot.

"Son, this is better onion soup than the chef at the Waldorf can make."

Bando sipped his, and I put mine in the snow to cool.

"Your mother will stop worrying about your diet when she hears of this."

Bando rinsed Dad's soup bowl in the snow, and with great ceremony and elegance—he could really be elegant when the occasion arose—poured him a turtle shell of sassafras tea. Quoting a passage from one of Dickens's food-eating scenes, he carved the blackened steak. It was pink and juicy inside. Cooked to perfection. We were all proud of it. Dad had to finish his tea before he could eat. I was short on bowls. Then I filled his shell. A mound of sort of fluffy mashed cattail tubers, mushrooms, and dogtooth violet bulbs, smothered in gravy thickened with acorn powder. Each plate had a pile of soaked and stewed honey locust beans—mixed with hickory nuts. The beans are so hard it took three days to soak them.

It was a glorious feast. Everyone was impressed, including me. When we were done, Bando went down to the stream and cut some old dried and hollow reeds. He came back and carefully made us each a flute with the tip of his penknife. He said the willow whistles were too old for such an occasion. We all played Christmas carols until dark. Bando wanted to try some complicat-

ed jazz tunes, but the late hour, the small fire dancing and throwing heat, and the snow insulating us from the winds made us all so sleepy that we were not capable of more than a last slow rendition of taps before we put ourselves on and under skins and blew out the light.

Before anyone was awake the next morning, I heard Frightful call hungrily. I had put her outside to sleep, as we were very crowded. I went out to find her. Her Christmas dinner had been a big piece of venison, but the night air had enlarged her appetite. I called her to

my fist and we went into the meadow to rustle up breakfast for the guests. She was about to go after a rabbit,
but I thought that wasn't proper fare for a post-Christ-
mas breakfast, so we went to the stream. Frightful
caught herself a pheasant while I kicked a hole in the
ice and did a little ice fishing. I caught about six trout
and whistled Frightful to my hand. We returned to the
hemlock. Dad and Bando were still asleep, with their
feet in each other's faces, but both looking very content.

I built the fire and was cooking the fish and making
pancakes when Dad shot out of bed.

"Wild boy!" he shouted. "What a sanguine smell.
What a purposeful fire. Breakfast in a tree. Son, I toil
from sunup to sundown, and never have I lived so well!"

I served him. He choked a bit on the acorn pancakes—they are a little flat and hard—but Bando got
out some of his blueberry jam and smothered the pancakes with an enormous portion. Dad went through the
motions of eating this. The fish, however, he enjoyed,
and he asked for more. We drank sassafras tea, sweet-
ened with some of the sugar Bando had brought me,
rubbed our turtle shells clean in the snow, and went out
into the forest.

Dad had not met Frightful. When she winged down
out of the hemlock, he ducked and flattened out in the
snow shouting, "Blast off."

He was very cool toward Frightful until he learned
that she was the best provider we had ever had in our
family, and then he continually praised her beauty

and admired her talents. He even tried to pet her, but Frightful was not to be won. She snagged him with her talons.

They stayed away from each other for the rest of Dad's visit, although Dad never ceased to admire her from a safe distance.

Bando had to leave two or three days after Christmas. He had some papers to grade, and he started off reluctantly one morning, looking very unhappy about the way of life he had chosen. He shook hands all around and then turned to me and said, "I'll save all the newspaper clippings for you, and if the reporters start getting too hot on your trail, I'll call the New York papers and give them a bum steer." I could see he rather liked the idea, and departed a little happier.

Dad lingered on for a few more days, ice fishing, setting my traps and snares, and husking walnuts. He whittled some cooking spoons and forks.

On New Year's Day he announced that he must go.

"I told your mother I would only stay for Christmas. It's a good thing she knows me or she might be worried."

"She won't send the police out to look for you?" I asked hurriedly. "Could she think you never found me?"

"Oh, I told her I'd call her Christmas night if I didn't." He poked around for another hour or two, trying to decide just how to leave. Finally he started down the mountain. He had hardly gone a hundred feet before he was back.

"I've decided to leave by another route. Somebody might backtrack me and find you. And that would be too bad." He came over to me and put his hand on my shoulder. "You've done very well, Sam." He grinned and walked off toward the gorge.

I watched him bound from rock to rock. He waved from the top of a large rock and leaped into the air. That was the last I saw of Dad for a long time.

IN WHICH
I Have a Good Look at Winter and Find Spring in the Snow

With Christmas over, the winter became serious. The snows deepened, the wind blew, the temperatures dropped until the air snapped and talked. Never had humanity seemed so far away as it did in those cold still months of January, February, and March. I wandered the snowy crags, listening to the language of the birds by day and to the noises of the weather by night. The wind howled, the snow avalanched, and the air creaked.

I slept, ate, played my reed whistle, and talked to Frightful.

To be relaxed, warm, and part of the winter wilderness is an unforgettable experience. I was in excellent condition. Not a cold, not a sniffle, not a moment of fatigue. I enjoyed the feeling that I could eat, sleep and be warm, and outwit the storms that blasted the mountains and the subzero temperatures that numbed them.

It snowed on. I plowed through drifts and stamped paths until eventually it occurred to me that I had all the materials to make snowshoes for easier traveling.

Here are the snowshoe notes:

"I made slats out of ash saplings, whittling them thin enough to bow. I soaked them in water to make them bend more easily, looped the two ends together, and wound them with hide.

"With my penknife I made holes an inch apart all around the loop.

"I strung deer hide crisscross through the loops. I made a loop of hide to hold my toe and straps to tie the shoes on.

"When I first walked in these shoes, I tripped on my toes and fell, but by the end of the first day I could walk from the tree to the gorge in half the time."

I lived close to the weather. It is surprising how you watch it when you live in it. Not a cloud passed unnoticed, not a wind blew untested. I knew the moods of the storms, where they came from, their shapes and colors. When the sun shone, I took Frightful to the meadow and we slid down the mountain on my snap-ping-turtle-shell sled. She really didn't care much for this.

When the winds changed and the air smelled like snow, I would stay in my tree, because I had gotten lost in a blizzard one afternoon and had had to hole up in a rock ledge until I could see where I was going. That day the winds were so strong I could not push against them, so I crawled under the ledge; for hours I wondered if I would be able to dig out when the storm blew on. Fortunately I only had to push through about a foot of snow. However, that taught me to stay home when the air said "snow." Not that I was afraid of being caught far from home in a storm, for I could find food and shelter and make a fire anywhere, but I had become as attached to my hemlock house as a brooding bird to her nest. Caught out in the storms and weather, I had an urgent desire to return to my tree, even as The Baron Weasel returned to his den, and the deer to their copse. We all had our little "patch" in the wilderness. We all fought to return there.

I usually came home at night with the nuthatch that roosted in a nearby sapling. I knew I was late if I tapped the tree and he came out. Sometimes when the weather was icy and miserable, I would hear him high in the tree near the edge of the meadow, yanking and yanking and flicking his tail, and then I would see him wing to bed early. I considered him a pretty good barometer, and if he went to his tree early, I went to mine early too. When you don't have a newspaper or radio to give you weather bulletins, watch the birds and animals. They can tell when a storm is coming. I called the nuthatch "Barometer," and when he holed up, I holed up, lit my light, and sat by my fire whittling or learning new tunes on my reed whistle. I was now really into the teeth of winter, and quite fascinated by its activity. There is no such thing as a "still winter night." Not only are many animals running around in the creaking cold, but the trees cry out and limbs snap and fall, and the wind gets caught in a ravine and screams until it dies. One noisy night I put this down:

"There is somebody in my bedroom. I can hear small exchanges of greetings and little feet moving up the wall. By the time I get to my light all is quiet.

"Next Day

"There was something in my room last night, a small tunnel leads out from my door into the snow. It is a marvelous tunnel, neatly packed, and it goes from a dried fern to a clump of moss. Then it turns and disappears. I would say mouse.

"That Night

"I kept an ember glowing and got a light fast before the visitor could get to the door. It *was* a mouse—a perfect little white-footed deer mouse with enormous black eyes and tidy white feet. Caught in the act of intruding, he decided not to retreat, but came toward me a few steps. I handed him a nut meat. He took it in his fragile paws, stuffed it in his cheek, flipped, and went out his secret tunnel. No doubt the tunnel leads right over to my store tree, and this fellow is having a fat winter."

There were no raccoons or skunks about in the snow, but the mice, the weasels, the mink, the foxes, the shrews, the cottontail rabbits were all busier than Coney Island in July. Their tracks were all over the mountain, and their activities ranged from catching each other to hauling various materials back to their dens and burrows for more insulation.

By day the birds were a-wing. They got up late, after I did, and would call to each other before hunting. I would stir up my fire and think about how much food it must take to keep one little bird alive in that fierce cold. They must eat and eat and eat, I thought.

Once, however, I came upon a male cardinal sitting in a hawthorn bush. It was a miserable day, gray, damp, and somewhere around the zero mark. The cardinal wasn't doing anything at all—just sitting on a twig, all fluffed up to keep himself warm. Now there's a wise bird, I said to myself. He is conserving his energy, none of this flying around looking for food and wasting effort. As I watched him, he shifted his feet twice, standing on one and pulling the other up into his warm feathers. I had often wondered why birds' feet didn't freeze, and there was my answer. He even sat down on both of them and let his warm feathers cover them like socks.

"January 8

"I took Frightful out today. We went over to the meadow to catch a rabbit for her; as we passed one of the hemlocks near the edge of the grove, she pulled her feathers to her body and looked alarmed. I tried to find out what had frightened her, but saw nothing.

"On the way back we passed the same tree and I noticed an owl pellet cast in the snow. I looked up. There were lots of limbs and darkness, but I could not see the owl. I walked around the tree; Frightful stared at one spot until I thought her head would swivel off. I looked, and there it was, looking like a broken limb—a great horned owl. I must say I was excited to have such a neighbor. I hit the tree with a stick and he flew off. Those great wings—they must have been five feet across—beat the wind, but there was no sound. The owl steered down the mountain through the tree limbs, and somewhere not far away he vanished in the needles and limbs.

"It is really very special to have a horned owl. I guess I feel this way because he is such a wilderness bird. He needs lots of forest and big trees, and so his presence means that the Gribley farm is a beautiful place indeed."

One week the weather gave a little to the sun, and snow melted and limbs dumped their loads and popped up into the air. I thought I'd try to make an igloo. I was cutting big blocks of snow and putting them in a circle. Frightful was dozing with her face in the sun, and the tree sparrows were raiding the hemlock cones. I worked and hummed, and did not notice the gray sheet of cloud that was sneaking up the mountain from the northwest. It covered the sun suddenly. I realized the air was damp enough to wring. I could stay as warm as a bug if I didn't get wet, so I looked at the drab mess in the sky, whistled for Frightful, and started back to the tree. We holed up just as Barometer was yanking his way home, and it was none too soon. It drizzled, it misted, it sprinkled, and finally it froze. The deer-hide door grew stiff with ice as darkness came, and it rattled like a piece of tin when the wind hit it.

I made a fire, the tree room warmed, and I puttered around with a concoction I call possum sop. A meal of frozen possum stewed with lichens, snakeweed, and lousewort. It is a different sort of dish. Of course what I really like about it are the names of all the plants with the name possum. I fooled for an hour or so brewing this dish, adding this and that, when I heard the mouse in his tunnel. I realized he was making an awful fuss, and decided it was because he was trying to gnaw through ice to get in. I decided to help him. Frightful was on her post, and I wanted to see the mouse's face when he found he was in a den with a falcon. I pushed the deerskin door. It wouldn't budge. I kicked it. It gave a little, cracking like china, and I realized that I was going to be iced in if I didn't keep that door open.

I finally got it open. There must have been an inch and a half of ice on it. The mouse, needless to say, was gone. I ate my supper and reminded myself to awaken and open the door off and on during the night. I put more wood on the fire, as it was damp in spite of the flames, and went to bed in my underwear and suit.

I awoke twice and kicked open the door. Then I fell into a sound sleep that lasted hours beyond my usual rising time. I overslept, I discovered, because I was in a block of ice, and none of the morning sounds of the forest penetrated my glass house to awaken me. The first thing I did was try to open the door; I chipped and kicked and managed to get my head out to see what had happened. I was sealed in. Now, I have seen ice storms, and I know they can be shiny and glassy and treacherous, but this was something else. There were sheets of ice binding the aspens to earth and cementing the tops of the hemlocks in arches. It was inches thick! Frightful winged out of the door and flew to a limb, where she tried to perch. She slipped, dropped to the ground, and skidded on her wings and undercoverts to a low spot where she finally stopped. She tried to get to her feet, slipped, lost her balance, and spread her wings. She finally flapped into the air and hovered there until she could locate a decent perch. She found one close against the bole of the hemlock. It was ice free.

I laughed at her, and then I came out and took a step. I landed with an explosion on my seat. The jolt splintered the ice and sent glass-covered limbs clattering to earth like a shopful of shattering crystal. As I sat there, and I didn't dare to move because I might get hurt, I heard an enormous explosion. It was followed by splintering and clattering and smashing. A maple at the edge of the meadow had literally blown up. I feared now for my trees—the ice was too heavy to bear. While down, I chipped the deer flap clean, and sort of swam back into my tree, listening to trees exploding all over the mountain. It was a fearful and dreadful sound. I lit a fire, ate smoked fish and dried apples, and went out again. I must say I toyed with the idea of making ice skates. However, I saw the iron wagon axle iced against a tree, and crawled to it. I de-iced it with the butt of my ax, and used it for a cane. I would stab it into the ground and inch along. I fell a couple of times but not as hard as that first time.

Frightful saw me start off through the woods, for I had to see this winter display, and she winged to my shoulder, glad for a good perch. At the meadow I looked hopefully for the sun, but it didn't have a chance. The sky was as thick as Indiana bean soup. Out in the open I watched one tree after another splinter and break under the ice, and the glass sparks that shot into the air and the thunder that the ice made as it shattered were something to remember.

At noon not a drip had fallen, the ice was as tight as it had been at dawn. I heard no nuthatches, the chickadees called once, but were silent again. There was an explosion near my spring. A hemlock had gone. Frightful and I crept back to the tree. I decided that if my house was going to shatter, I would just as soon be in it. Inside, I threw sticks to Frightful and she caught them in her talons. This is a game we play when we are tense and bored. Night came and the ice still lay in sheets. We slept to the occasional boom of breaking trees, although the explosions were not as frequent. Apparently the most rotted and oldest trees had collapsed first. The rest were more resilient, and unless a wind came up, I figured the damage was over.

At midnight a wind came up. It awakened me, for the screech of the iced limbs rubbing each other and the snapping of the ice were like the sounds from a madhouse. I listened, decided there was nothing I could do, buried my head under the deer hide, and went back to sleep.

Around six or seven I heard Barometer, the nuthatch. He yanked as he went food hunting through the hemlock grove. I jumped up and looked out. The sun had come through, and the forest sparkled and shone in cruel splendor.

That day I heard the *drip, drip* begin, and by evening some of the trees had dumped their loads and were slowly lifting themselves to their feet, so to speak. The aspens and birch trees, however, were still bent like Indian bows.

Three days later, the forest arose, the ice melted, and for about a day or so we had warm, glorious weather.

The mountain was a mess. Broken trees, fallen limbs were everywhere. I felt badly about the ruins until I thought that this had been happening to the mountain for thousands of years and the trees were still there, as were the animals and birds. The birds were starved, and many had died. I found their cold little bodies under bushes and one stiff chickadee in a cavity. Its foot was drawn into its feathers, its feathers were fluffed.

Frightful ate old frozen muskrat during those days, We couldn't kick up a rabbit or even a mouse. They were in the snow under the ice, waiting it out. I suppose the mice went right on tunneling to the grasses and the mosses and had no trouble staying alive, but I did wonder how The Baron Weasel was doing. I needn't have. Here are some notes about him.

"I should not have worried about The Baron Weasel; he appeared after the ice storm, looking sleek and pleased with himself. I think he dined royally on the many dying animals and birds. In any event, he was full of pep and ran up the hemlock to chase Frightful off her perch. That Baron! It's a good thing I don't have to tie Frightful much anymore, or he would certainly try to kill her. He still attacks me, more for the fun of being sent sprawling out into the snow than for food, for he hasn't put his teeth in my trousers for months."

January was a fierce month. After the ice storm came more snow. The mountaintop was never free of it, the gorge was blocked; only on the warmest days could I hear, deep under the ice, the trickle of water seeping over the falls. I still had food, but it was getting low. All the fresh-frozen venison was gone, and most of the bulbs and tubers. I longed for just a simple dandelion green.

dandelion

Toward the end of January I began to feel tired, and my elbows and knees were a little stiff. This worried me. I figured it was due to some vitamin I wasn't getting, but I couldn't remember which vitamin it was or even where I would find it if I could remember it.

One morning my nose bled. It frightened me a bit, and I wondered if I shouldn't hike to the library and reread the material on vitamins. It didn't last long, however, so I figured it wasn't too serious. I decided I would live until the greens came to the land, for I was of the opinion that since I had had nothing green for months, that was probably the trouble.

On that same day Frightful caught a rabbit in the meadow. As I cleaned it, the liver suddenly looked so tempting that I could hardly wait to prepare it. For the next week, I craved liver and ate all I could get. The tiredness ended, the bones stopped aching and I had no more nosebleeds. Hunger is a funny thing. It has a kind of intelligence all its own. I ate liver almost every day until the first plants emerged, and I never had any more trouble. I have looked up vitamins since. I am not surprised to find that liver is rich in vitamin C. So are citrus fruits and green vegetables, the foods I lacked. Wild plants like sorrel and dock are rich in this vitamin. Even if I had known this at that time, it would have done me no good, for they were but roots in the earth. As it turned out, liver was the only available source of vitamin C—and on liver I stuffed, without knowing why.

So much for my health. I wonder now why I didn't have more trouble than I did, except that my mother worked in a children's hospital during the war, helping to prepare food, and she was conscious of what made up a balanced meal. We heard a lot about it as kids, so I was not unaware that my winter diet was off balance.

After that experience, I noticed things in the forest

that I hadn't paid any attention to before. A squirrel had stripped the bark off a sapling at the foot of the meadow, leaving it gleaming white. I pondered when I saw it, wondering if he had lacked a vitamin or two and had sought them in the bark. I must admit I tried a little of the bark myself, but decided that even if it was loaded with vitamins, I preferred liver.

I also noticed that the birds would sit in the sun when it favored our mountain with its light, and I, being awfully vitamin minded at the time, wondered if they were gathering vitamin D. To be on the safe side, in view of this, I sat in the sun too when it was out. So did Frightful.

My notes piled up during these months, and my journal of birch bark became a storage problem. I finally took it out of my tree and cached it under a rock ledge nearby. The mice made nests in it, but it held up even when it got wet. That's one thing about using the products of the forest. They are usually weatherproof. This is important when the weather is as near to you as your skin and as much a part of your life as eating.

I was writing more about the animals now and less about myself, which proves I was feeling pretty safe. Here is an interesting entry.

"*February 6*

"The deer have pressed in all around me. They are hungry. Apparently they stamp out yards in the valleys where they feed during the dawn and dusk, but many

of them climb back to the hemlock grove to hide and sleep for the day. They manage the deep snows so effortlessly on those slender hooves. If I were to know that a million years from today my children's children's children were to live as I am living in these mountains, I should marry me a wife with slender feet and begin immediately to breed a race with hooves, that the Catskill children of the future might run through the snows and meadows and marshes as easily as the deer."

I got to worrying about the deer, and for many days I climbed trees and cut down tender limbs for them. At first only two came, then five, and soon I had a ring of large-eyed white-tailed deer waiting at my tree at twilight for me to come out and chop off limbs. I was astonished to see this herd grow, and wondered what signals they used to inform each other of my services. Did they smell fatter? Look more contented? Somehow they were able to tell their friends that there was a free lunch on my side of the mountain, and more and more arrived.

One evening there were so many deer that I decided to chop limbs on the other side of the meadow. They were cutting up the snow and tearing up the ground around my tree with their pawing.

Three nights later they all disappeared. Not one deer came for limbs. I looked down the valley, and in the dim light could see the open earth on the land below. The deer could forage again. Spring was coming to the land! My heart beat faster. I think I was trembling. The valley also blurred. The only thing that can do that is tears, so I guess I was crying.

That night the great horned owls boomed out across the land. My notes read:

"February 10

"I think the great horned owls have eggs! The mountain is white, the wind blows, the snow is hard packed, but spring is beginning in their hollow maple. I will climb it tomorrow.

"February 12

"Yes, yes, yes, yes. It is spring in the maple. Two great horned owl eggs lie in the cold snow-rimmed cavity in the broken top of the tree. They were warm to my touch. Eggs in the snow. Now isn't that wonderful? I didn't stay long, for it is bitter weather and I wanted the female to return immediately. I climbed down, and as I ran off toward my tree I saw her drift on those muffled wings of the owl through the limbs and branches as she went back to her work. I crawled through the tunnel of ice that leads to my tree now, the wind beating at my back. I spent the evening whittling and thinking about the owl high in the forest with the first new life of the spring."

And so with the disappearance of the deer, the hoot of the owl, the cold land began to create new life. Spring is terribly exciting when you are living right in it.

I was hungry for green vegetables, and that night as I went off to sleep, I thought of the pokeweeds, the dandelions, the spring beauties that would soon be pressing up from the earth.

MORE ABOUT
The Spring in the Winter and the Beginning of My Story's End

The owl had broken the spell of winter. From that time on, things began to happen that you'd have to see to believe. Insects appeared while the snow was on the ground. Birds built nests, raccoons mated, foxes called to each other, seeking again their lifelong mates. At the end of February, the sap began to run in the maple trees. I tapped some trees and boiled the sap to syrup. It takes an awful lot of sap to make one cup of syrup, I discovered—thirty-two cups, to be exact.

All this and I was still in my winter fur-lined underwear. One or two birds returned, the ferns by the protected spring unrolled—very slowly, but they did. Then the activity gathered momentum, and before I was aware of the change, there were the skunk cabbages poking their funny blooms above the snow in the marsh. I picked some and cooked them, but they aren't any good. A skunk cabbage is a skunk cabbage.

From my meadow I could see the valleys turning green. My mountain was still snow-capped, so I walked into the valleys almost every day to scout them for edible plants. Frightful rode down with me on my

marsh marigold

shoulder. She knew even better than I that the season had changed, and she watched the sky like radar. No life traveled that sky world unnoticed by Frightful. I thought she wanted to be free and seek a mate, but I could not let her. I still depended upon her talents and company. Furthermore, she was different, and if I did let her go, she probably would have been killed by another female, for Frightful had no territory other than the hemlock patch, and her hunting instincts had been trained for man. She was a captive, not a wild bird, and that is almost another kind of bird.

milkweed

One day I was in the valley digging tubers and collecting the tiny new dandelion shoots when Frightful saw another duck hawk and flew from my shoulder like a bolt, pulling the leash from my hand as she went.

"Frightful!" I called. "You can't leave me now!" I whistled, held out a piece of meat, and hoped she would not get her leash caught in a treetop. She hovered above my head, looked at the falcon and then at my hand, folded her wings, and dropped to my fist.

"I saw that!" a voice said. I spun around to see a young man about my own age, shivering at the edge of the woods.

"You're the wild boy, aren't you?"

I was so astonished to see a human being in all this cold thawing silence that I just stood and looked at him. When I gathered my wits I replied. "No, I'm just a citizen."

"Aw, gee," he said with disappointment. Then he gave in to the cold and shivered until the twigs around him rattled. He stepped forward.

"Well, anyway, I'm Matt Spell. I work after school on the Poughkeepsie *New Yorker,* a newspaper. I read all the stories about the wild boy who lives in the Catskills, and I thought that if I found him and got a good story, I might get to be a reporter. Have you ever run across him? Is there such a boy?"

"Aw, it's all nonsense," I said as I gathered some dry wood and piled it near the edge of the woods. I lit it swiftly, hoping he would not notice the flint and steel. He was so cold and so glad to see the flames that he said nothing.

I rolled a log up to the fire for him and shoved it against a tree that was blocked from the raw biting wind by a stand of hawthorns. He crouched over the flames for a long time, then practically burnt the soles off his shoes warming his feet. He was that miserable.

"Why didn't you dress warmer for this kind of a trip?" I asked. "You'll die up here in this damp cold."

"I think I am dying," he said, sitting so close to the fire, he almost smothered it. He was nice looking, about thirteen or fourteen, I would have said. He had a good bold face, blue eyes, hair about the color of my stream in the thaw. Although he was big, he looked like the kind of fellow who didn't know his own strength. I liked Matt.

"I've still got a sandwich," he said. "Want half?"

"No, thanks," I said. "I brought my lunch." Frightful had been sitting on my shoulder through all this, but now the smoke was bothering her and she hopped to a higher perch. I still had her on the leash.

"There was a bird on your shoulder," Matt said. "He had nice eyes. Do you know him?"

"I'm sort of an amateur falconer," I replied. "I come up here to train my bird. It's a she—Frightful is her name."

"Does she catch anything?"

"Now and then. How hungry are you?" I asked as his second bite finished the sandwich.

"I'm starved; but don't share your lunch. I have some money, just tell me which road takes you toward Delhi."

I stood up and whistled to Frightful. She flew down. I undid her leash from her jesses. I stroked her head for a moment; then threw her into the air and walked out into the field, kicking the brush as I went.

I had noticed a lot of rabbit tracks earlier, and followed them over the muddy earth as best I could. I kicked up a rabbit and with a twist Frightful dropped out of the sky and took it.

Roast rabbit is marvelous under any conditions, but when you're cold and hungry it is superb. Matt enjoyed every bite. I worked on a small portion to be sociable, for I was not especially hungry. I dared not offer him the walnuts in my pocket, for too much had been written about that boy living off nuts.

"My whole circulatory system thanks you," Matt

said. He meant it, for his hands and feet were now warm, and the blue color had left his lips and was replaced by a good warm red.

"By the way, what's your name?"

"Sam. Sam Gribley," I said.

"Sam, if I could borrow a coat from you, I think I could make it to the bus station without freezing to death. I sure didn't think it would be so much colder in the mountains. I could mail it back to you."

"Well," I hesitated, "my house is pretty far from here. I live on the Gribley farm and just come down here now and then to hunt with the falcon; but maybe we could find an old horse blanket or something in one of the deserted barns around here."

"Aw, never mind, Sam. I'll run to keep warm. Have you any ideas about this wild boy—seen anyone that you think the stories might be referring to?"

"Let's start toward the road," I said as I stamped out the fire. I wound him through the forest until I was dizzy and he was lost, then headed for the road. At the edge of the woods I said, "Matt, I have seen that boy."

Matt Spell stopped.

"Gee, Sam, tell me about him." I could hear paper rattle, and saw that Matt's cold hands were not too stiff to write in his notebook.

We walked down the road a bit and then I said, "Well, he ran away from home one day and never went back."

"Where does he live? What does he wear?"

We sat down on a stone along the edge of the road. It was behind a pine tree, and out of the ripping wind.

"He lives west of here in a cave. He wears a bearskin coat, has long hair—all matted and full of burrs—and according to him he fishes for a living."

"You've talked to him?" he asked brightly.

"Oh, yes, I talk to him."

"Oh, this is great!" He wrote furiously. "What color are his eyes?"

"I think they are bluish gray, with a little brown in them."

"His hair?"

"Darkish—I couldn't really tell under all those coon tails."

"Coon tails? Do you suppose he killed them himself?"

"No. It looked more like one of those hats you get with cereal box tops."

"Well, I won't say anything about it then; just, coon-tail hat."

"Yeah, coon-tail hat's enough," I agreed. "And I think his shoes were just newspapers tied around his feet. That's good insulation, you know."

"Yeah?" Matt wrote that down.

"Did he say why he ran away?"

"I never asked him. Why does any boy run away?"

Matt put down his pencil and thought. "Well, I ran

away once because I thought how sorry everybody would be when I was gone. How they'd cry and wish they'd been nicer to me." He laughed.

Then I said, "I ran away once because . . . well, because I wanted to do something else."

"That's a good reason," said Matt. "Do you suppose that's why . . . by the way, what is his name?"

"I never asked him," I said truthfully.

"What do you suppose he really eats and lives on?" asked Matt.

"Fish, roots, berries, nuts, rabbits. There's a lot of food around the woods if you look for it, I guess."

"Roots? Roots wouldn't be good."

"Well, carrots are roots."

"By golly, they are; and so are potatoes, sort of. Fish?" pondered Matt, "I suppose there are lots of fish around here."

"The streams are full of them."

"You've really seen him, huh? He really is in these mountains?"

"Sure, I've seen him," I said. Finally I stood up.

"I gotta get home. I go the other way. You just follow this road to the town, and I think you can get a bus from there."

"Now, wait," he said. "Let me read it back to you to check the details."

"Sure."

Matt stood up, blew on his hands and read: "The wild

boy of the Catskills does exist. He has dark brown hair, black eyes, and wears a handsome deerskin suit that he apparently made himself. He is ruddy and in excellent health and is able to build a fire with flint and steel as fast as a man can light a match.

"His actual dwelling is a secret, but his means of support is a beautiful falcon. The falcon flies off the boy's fist, and kills rabbits and pheasants when the boy needs food. He only takes what he needs. The boy's name is not known, but he ran away from home and never went back."

"No, Matt, no," I begged.

I was about to wrestle it out with him when he said furtively, "I'll make a deal with you. Let me spend my spring vacation with you and I won't print a word of it. I'll write only what you've told me."

I looked at him and decided that it might be nice to have him. I said, "I'll meet you outside town any day you say, providing you let me blindfold you and lead you to my home and providing you promise not to have a lot of photographers hiding in the woods. Do you know what would happen if you told on me?"

"Sure, the newsreels would roll up, the TV cameras would arrive, reporters would hang in the trees, and you'd be famous."

"Yes, and back in New York City."

"I'll write what you said and not even your mother will recognize you."

"Make it some other town, and it's a deal," I said. "You might say I am working for Civil Defense doing research by learning to live off the land. Tell them not to be afraid, that crayfish are delicious and caves are warm."

Matt liked that. He sat down again. "Tell me some of the plants and animals you eat so that they will know what to do. We can make this informative."

I sat down, and listed some of the better wild plants and the more easily obtainable mammals and fish. I gave him a few good recipes and told him that I didn't recommend anyone trying to live off the land unless they liked oysters and spinach.

Matt liked that. He wrote and wrote. Finally he said, "My hands are cold. I'd better go. But I'll see you on April twelfth at three-thirty outside of town. Okay? And just to prove that I'm a man of my word, I'll bring you a copy of what I write."

"Well, you better not give me away. I have a scout in civilization who follows all these stories."

We shook hands and he departed at a brisk pace.

I returned to my patch on the mountain, talking to myself all the way. I talk to myself a lot, but everyone does. The human being, even in the midst of people, spends nine-tenths of his time alone with the private voices of his own head. Living alone on a mountain is not much different, except that your speaking voice gets rusty. I talked inside my head all the way home, think-

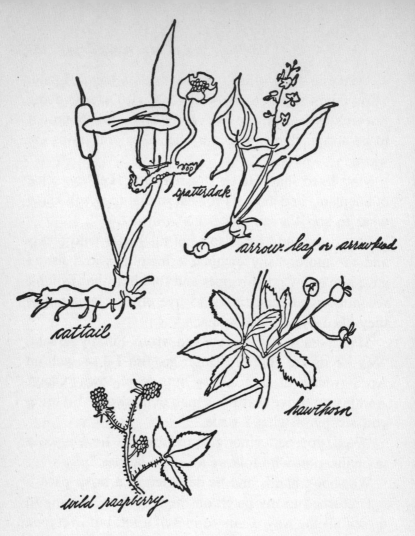

spatterdock

arrow-leaf or arrowhead

cattail

hawthorn

wild raspberry

ing up schemes, holding conversations with Bando and
Dad and Matt Spell. I worded the article for Matt after
discussing it with Bando, and made it sound very con-
vincing without giving myself up. I kind of wanted to
write it down and send it to Matt, but I didn't.

I entered my tree, tied Frightful to the bedpost, and there was Jessie Coon James. It had been months since I'd seen him. He was curled up on my bed, asleep. A turtle shell that had been full of cracked walnuts was empty beside him. He awoke, jumped to the floor, and walked slowly between my legs and out the door. I had the feeling Jessie was hoping I had departed for good and that he could have my den. He was a comfort-loving creature. I was bigger and my hands were freer than his, so he conceded me the den. I watched him climb over The Baron's rock and shinny up a hemlock. He moved heavily into the limbs, and it occurred to me that Jessie was a she-Jessie, not a he-Jessie.

I cooked supper, and then sat down by my little fire and called a forum. It is very sociable inside my head, and I have perfected the art of getting a lot of people arguing together in silence or in a forum, as I prefer to call it. I can get four people all talking at once, and a fifth can be present, but generally I can't get him to talk. Usually these forums discuss such things as a storm and whether or not it is coming, how to make a spring suit, and how to enlarge my house without destroying the life in the tree. Tonight, however, they discussed what to do about Matt Spell. Dad kept telling me to go right down to the city and make sure he published nothing, not even a made-up story. Bando said, no, it's all right, he still doesn't know where you live; and then Matt walked into the conversation and said that he wanted to spend his spring vacation with me, and that he promised not to do anything untoward. Matt kept using "untoward"—I don't know where he got that expression, but he liked it and kept using it—that's how I knew Matt was speaking; everything was "untoward."

That night I fell asleep with all these people discussing the probability of my being found and hauled back to the city. Suddenly Frightful broke into the conversation. She said, "Don't let that Matt come up here. He eats too much." That was the first time that Frightful had ever talked in a forum. I was delighted, for I was always sure that she had more to say than a few cries. She had not missed Matt's appetite.

The forum dissolved in a good humor, everyone being delighted with Frightful. I lifted my head to look at her. She had her beak in the feathers of her back, sound asleep.

She spoke in my head, however, and said, "You really want to be found, or you would not have told Matt all you did."

"I like you better when you don't talk," I said, pulled the deer hide over me, and fell into a deep sleep.

IN WHICH
I Cooperate with the Ending

By the middle of March I could have told you it was spring without looking. Jessie did not come around anymore, she was fishing the rewarding waters of the open stream, she was returning to a tree hollow full of babies. The Baron Weasel did not come by. There were salamanders and frogs to keep him busy. The chickadees sang alone, not in a winter group, and the skunks and minks and foxes found food more abundant in the forest than at my tree house. The circumstances that had brought us all together in the winter were no more. There was food on the land and the snow was slipping away.

watercress

By April I was no longer living off my storehouse. There were bulbs, tubers, and greens to be had. Meals were varied once more. There were frogs' legs, eggs, and turtle soup on my table.

I took my baths in the spring again rather than in the turtle shell with warmed-over snow. I plunged regularly into the ice water of the spring—shouting as my breath was grabbed from my lungs. I scrubbed, ran for my tree, and dried myself before the fire, shouting as I stepped into my clothes. Then I would sing. I made up a lot of nice songs after my bath, one of which I taught to a man who was hiking along the top of the gorge one day.

He said his name was Aaron, and he was quiet and tall. I found him sitting on the edge of the cliff, looking across the valley. He was humming little tunes. He had a sad smile that never went away. I knew I would not have to hide from him just by looking at him, so I walked up and sat down beside him. I taught him my "cold water song."

I learned he wrote songs and that he was from New York. He had come to the Catskills for the Passover festivities and had wandered off for the day. He was about to go back when I sat down and said, "I heard you humming."

"Yes," he said. "I hum a good deal. Can you hum?"

"Yes," I replied, "I can hum. I hum a good deal, too, and even sing, especially when I get out of the spring in the morning. Then I really sing aloud."

"Let's hear you sing aloud."

So I said, feeling very relaxed with the sun shining on my head, "All right, I'll sing you my cold water song."

"I like that," Aaron said. "Sing it again." So I did.

"Let me suggest a few changes." He changed a few words to fit the tune and the tune to fit the words, and then we both sang it.

"Mind if I use the hum hum hum dee dee part?" he asked presently.

"You can use it all," I said. "Tunes are free up here. I got that from the red-eyed vireo."

He sat up and said, "What other songs are sung up here?"

I whistled him the "hi-chickadee" song of the black-capped Mr. Bracket; and the waterfall song of the wood thrush. He took out a card, lined it with five lines, and wrote in little marks. I stretched back in the sun and hummed the song of the brown thrasher and of Barometer, the nuthatch. Then I boomed out the song of the great horned owl and stopped.

"That's enough, isn't it?" I asked.

"I guess so." He lay back and stretched, looked into the leaves, and said, "If I do something with this, I'll come back and play it to you. I'll bring my portable organ."

"Fine," I said.

Then, after a drowsy pause, he said, "Will you be around these parts this summer?"

"I'll be around," I said. Aaron fell asleep, and I rolled over in the sun. I liked him. He hadn't asked me one personal question. Oddly enough, I wasn't sure whether that made me glad or not. Then I thought of the words Frightful had spoken in my head. "You want to be found," and I began to wonder. I had sought out a human being. This would not have happened a year ago.

I fell asleep. When I awoke, Aaron was gone and

Frightful was circling me. She saw me stir, swooped in, and sat on a rock beside me. I said, "Hi," but did not get up, just lay still listening to the birds, the snips and sputs of insects moving in the dry leaves, and the air stirring the newly leafing trees. Nothing went on in my head. It was comfortably blank. I knew the pleasures of the lizard on the log who knows where his next meal is coming from. I also knew his boredom. After an hour I did have a thought. Aaron had said that he was up in the Catskills for Passover. Then it must also be near Easter, and Matt would be coming soon. I had not counted notches in weeks.

A cool shadow crossed my face and I arose, whistled for Frightful to come to my hand, and wandered slowly home, stuffing my pockets with spring beauty bulbs as I went.

Several days later I met Matt on Route 27 at three-thirty. I tied his handkerchief around his eyes and led him, stumbling and tripping, up the mountain. I went almost directly home. I guess I didn't much care if he remembered how to get there or not. When I took off the blindfold, he looked around.

"Where are we? Where's your house?" I sat down and motioned him to sit. He did so with great willingness—in fact, he flopped.

"What do you sleep on, the ground?"

I pointed to the deerskin flaps moving in the wind in the hemlock.

"Whatdaya do, live in a tree?"

"Yep."

Matt bounced to his feet and we went in. I propped the door open so that the light streamed in, and he shouted with joy. I lit the tallow candle and we went over everything, and each invention he viewed with a shout.

While I prepared trout baked in wild grape leaves, Matt sat on the bed and told me the world news in brief. I listened with care to the trouble in Europe, the trouble in the Far East, the trouble in the south, and the trouble in America. Also to a few sensational murders, some ball scores, and his report card.

"It all proves my point," I said sagely. "People live too close together."

"Is that why you are here?"

"Well, not exactly. The main reason is that I don't like to be dependent, particularly on electricity, rails, steam, oil, coal, machines, and all those things that can go wrong."

"Well, is that why you are up here?"

"Well, not exactly. Some men climbed Mount Everest because it was there. Here is a wilderness."

"Is that why?"

"Aw, come on, Matt. See that falcon? Hear those white-throated sparrows? Smell that skunk? Well, the falcon takes the sky, the white-throated sparrow takes the low bushes, the skunk takes the earth, you take the newspaper office, I take the woods."

"Don't you get lonely?"

"Lonely? I've hardly had a quiet moment since arriving. Stop being a reporter and let's eat. Besides, there are people in the city who are lonelier than I."

"Okay. Let's eat. This is good, darned good; in fact, the best meal I've ever eaten." He ate and stopped asking questions.

We spent the next week fishing, hunting, trapping, gathering greens and bulbs. Matt talked less and less, slept, hiked, and pondered. He also ate well, and kept Frightful very busy. He made himself a pair of moccasins out of deer hide, and a hat that I can't even describe. We didn't have a mirror so he never knew how it looked, but I can say this: when I happened to meet him as we came fishing along a stream bed, I was always startled. I never did get used to that hat.

Toward the end of the week, who should we find sleeping in my bed after returning from a fishing trip, but Bando! Spring vacation, he said. That night we played our reed whistles for Matt, by an outdoor fire. It was that warm. Matt and Bando also decided to make a guest house out of one of the other trees. I said "Yes, let's" because I felt that way, although I knew what it meant.

A guest house meant I was no longer a runaway. I was no longer hiding in the wilderness. I was living in the woods like anyone else lives in a house. People drop by, neighbors come for dinner, there are three meals to get, the shopping to do, the cleaning to accomplish. I felt exactly as I felt when I was home. The only differ-

ence was that I was a little harder to visit out here, but not too hard. There sat Matt and Bando.

We all burned and dug out another hemlock. I worked with them, wondering what was happening to me. Why didn't I cry "No"? What made me happily build a city in the forest—because that is what we were doing.

When the tree was done, Bando had discovered that the sap was running in willow trees and the limbs were just right for slide whistles. He spent the evening making us trombones. We played them together. That word *together*. Maybe that was the answer to the city.

Matt said rather uncomfortably just before bedtime, "There may be some photographers in these hills."

"Matt!" I hardly protested. "What did you write?"

It was Bando who pulled out the article.

He read it, a few follow-ups, and comments from many other papers. Then he leaned back against his leaning tree, as it had come to be, and puffed silently on his pipe.

"Let's face it, Thoreau; you can't live in America today and be quietly different. If you are going to be different, you are going to stand out, and people are going to hear about you; and in your case, if they hear about you, they will remove you to the city or move to you and you won't be different anymore." A pause.

"Did the owls nest, Thoreau?"

I told him about the owls and how the young played around the hemlock, and then we went to bed a little sad—all of us. Time was running out.

Matt had to return to school, and Bando stayed on to help burn out another tree for another guest house. We chopped off the blackened wood, made one bed, and

started the second before he had to return to his teaching.

I wasn't alone long. Mr. Jacket found me.

I was out on the raft trying to catch an enormous
snapping turtle. It would take my line, but when I got
its head above water, it would eye me with those cold
ancient eyes and let go. Frightful was nearby. I was
making a noose to throw over the turtle's head the next
time it surfaced when Frightful lit on my shoulder with
a thud and a hard grip. She was drawn up and tense,
which in her language said "people," so I wasn't surprised to hear a voice call from across the stream, "Hi,
Daniel Boone. What are you doing?" There stood Mr.
Jacket.

"I am trying to get this whale of a snapper," I said
in such an ordinary voice that it was dull.

I went on with the noose making, and he called to me,
"Hit it with a club."

I still couldn't catch the old tiger, so I rafted to shore
and got Mr. Jacket. About an hour later we had the
turtle, had cleaned it, and I knew that Mr. Jacket was
Tom Sidler.

"Come on up to the house," I said, and he came on
up to the house, and it was just like after school on
Third Avenue. He wanted to see everything, of course,
and he did think it unusual, but he got over it in a hurry
and settled down to helping me prepare the meat for
turtle soup.

He dug the onions for it while I got it boiling in a tin can. Turtle is as tough as rock and has to be boiled for hours before it gets tender. We flavored the soup with hickory salt, and cut a lot of Solomon's seal tubers into it. Tom said it was too thin, and I thickened it with mashed up nuts—I had run out of acorn flour. I tried some orris root in it—pretty fair.

"Wanta stay and eat it and spend the night?" I asked him somewhere along the way. He said, "Sure," but added that he had better go home and tell his mother. It took him about two hours to get back and the turtle was still tough, so we went out to the meadow to fly Frightful. She caught her own meal, we tied her to her perch, and climbed in the gorge until almost dark. We ate turtle soup. Tom slept in the guest tree.

I lay awake wondering what had happened. Everything seemed so everyday.

I liked Tom and he liked me, and he came up often, almost every weekend. He told me about his bowling team and some of his friends, and I began to feel I knew a lot of people in the town below the mountain. This made my wilderness small. When Tom left one weekend I wrote this down:

"Tom said that he and Reed went into an empty house, and when they heard the real estate man come in, they slid down the laundry chute to the basement and crawled out the basement window. He said a water main broke and flooded the school grounds and all the kids took off their shoes and played baseball in it."

I drew a line through all this and then I wrote:

"I haven't seen The Baron Weasel. I think he has deserted his den by the boulder. A catbird is nesting nearby. Apparently it has learned that Frightful is tied some of the time, because it comes right up to the fireplace for scraps when the leash is snapped."

I drew a line through this too, and filled up the rest of the piece of bark with a drawing of Frightful.

I went to the library the next day and took out four books.

Aaron came back. He came right to the hemlock forest and called. I didn't ask him how he knew I was there. He stayed a week, mostly puttering around with the willow whistles. He never asked what I was doing on the mountain. It was as if he already knew. As if he had talked to someone, or read something, and there was nothing more to question. I had the feeling that I was an old story somewhere beyond the foot of the mountain. I didn't care.

Bando got a car and he came up more often. He never mentioned any more newspaper stories, and I never asked him. I just said to him one day, "I seem to have an address now."

He said, "You do."

I said, "Is it Broadway and Forty-second Street?"

He said, "Almost." His eyebrows knitted and he looked at me sadly.

"It's all right, Bando. Maybe you'd better bring me a shirt and some blue jeans when you come next time. I was thinking, if they haven't sold that house in town, maybe Tom and I could slide down the laundry chute."

Bando slowly turned a willow whistle over in his hands. He didn't play it.

IN WHICH
The City Comes to Me

The warblers arrived, the trees turned summer green, and June burst over the mountain. It smelled good, tasted good, and was gentle to the eyes.

I was stretched out on the big rock in the meadow one morning. Frightful was jabbing at some insect in the grass below me when suddenly a flashbulb exploded and a man appeared.

"Wild boy!" he said, and took another picture. "What are you doing, eating nuts?"

I sat up. My heart was heavy. It was so heavy that I posed for him holding Frightful on my fist. I refused to take him to my tree, however, and he finally left. Two other photographers came, and a reporter. I talked a little. When they left, I rolled over on my stomach and wondered if I could get in touch with the Department of Interior and find out more about the public lands in the West. My next thought was the baseball game in the flooded school yard.

Four days passed, and I talked to many reporters and photographers. At noon of the fifth day a voice called from the glen: "I know you are there!"

"*Dad!*" I shouted, and once again burst down the mountainside to see my father.

As I ran toward him, I heard sounds that stopped me. The sound of branches and twigs breaking, of the flowers being crushed. Hordes were coming. For a long moment I stood wondering whether to meet Dad or run forever. I was self-sufficient, I could travel the world over, never needing a penny, never asking anything of anyone. I could cross to Asia in a canoe via the Bering Strait. I could raft to an island. I could go around the world on the fruits of the land. I started to run. I got as far as the gorge and turned back. I wanted to see Dad.

I walked down the mountain to greet him and to face the people he had brought from the city to photograph me, interview me, and bring me home. I walked slowly, knowing that it was all over. I could hear the voices of the other people. They filled my silent mountain.

Then I jumped in the air and laughed for joy. I recognized my four-year-old brother's pleasure song. The family! Dad had brought the family! Every one of them. I ran, twisting and turning through the trees like a Cooper's hawk, and occasionally riding a free fifty feet downhill on an aspen sapling.

"Dad! Mom!" I shouted as I came upon them along the streambed, carefully picking their way through raspberry bushes. Dad gave me a resounding slap and Mother hugged me until she cried.

John jumped on me. Jim threw me into the rushes. Mary sat on me. Alice put leaves in my hair. Hank pulled Jim off. Joan pulled me to my feet, and Jake bit my ankle. That cute little baby sister toddled away from me and cried.

"Wow! All of New York!" I said. "This is a great day for the Katerskills."

I led them proudly up the mountain, thinking about dinner and what I had that would go around. I knew how Mother felt when we brought in friends for dinner.

As we approached the hemlock grove, I noticed that Dad was carrying a pack. He explained it as food for the first few days, or until I could teach John, Jim, Hank, and Jake how to live off the land. I winked at him.

"But, Dad, a Gribley is not for the land."

"What do you mean?" he shouted. "The Gribleys have had land for three generations. We pioneer, we open the land." He was almost singing

"And then we go to sea," I said.

"Things have changed. Child labor laws; you can't take children to sea."

I should have glowed over such a confession from Dad had I not been making furious plans as we climbed; food, beds, chores. Dad, however, had had since Christmas to outplan me. He strung up hammocks for everyone all through the forest, and you never heard a happier bunch of kids. The singing and shouting and giggling sent the birds and wildlife deeper into the shadows. Even little Nina had a hammock, and though she was only a toddler, she cooed and giggled all by herself as she rocked between two aspens near the meadow. We ate Mother's fried chicken. Chicken is good, it tastes like chicken.

I shall never forget that evening.

And I shall never forget what Dad said, "Son, when I told your mother where you were, she said, 'Well, if he doesn't want to come home, then we will bring home to him.' And that's why we are all here."

I was stunned. I was beginning to realize that this was not an overnight camping trip, but a permanent arrangement. Mother saw my expression and said, "When you are of age, you can go wherever you please. Until then, I still have to take care of you, according to all the law I can find." She put her arm around me, and we rocked ever so slightly. "Besides, I am not a Gribley. I am a Stuart, and the Stuarts loved the land." She looked at the mountain and the meadow and the gorge, and

I felt her feet squeeze into the earth and take root.

The next day I took John, Jim, and Hank out into the mountain meadows with Frightful to see if we could not round up enough food to feed this city of people. We did pretty well.

When we came back, there was Dad with four four-by-fours, erected at the edge of my meadow, and a pile of wood that would have covered a barn.

"Gosh, Dad," I cried, "what on earth are you doing?"

"We are going to have a house," he said.

I was stunned and hurt.

"A house! You'll spoil everything!" I protested. "Can't we all live in trees and hammocks?"

"No. Your mother said that she was going to give you a decent home, and in her way of looking at it, that means a roof and doors. She got awfully mad at those newspaper stories inferring that she had not done her duty."

"But she did." I was almost at the point of tears. "She's a swell mother. What other boy has a mother who would let him do what I did?"

"I know. I know. But a woman lives among her neighbors. Your mother took all those editorials personally, as if they were Mr. Bracket and Mrs. O'Brien speaking. The nation became her neighbors, and no one, not even—" He hesitated. A catbird meowed. "Not even that catbird is going to think that she neglected you."

I was about to protest in a loud strong voice when Mother's arm slipped around my shoulder.

"That's how it is until you are eighteen, Sam," she said. And that ended it.

ABOUT THE AUTHOR

Jean Craighead George has written over forty books for children, among them *Julie of the Wolves*, which was awarded the Newbery Medal in 1973. *My Side of the Mountain* was a Newbery Honor Book, an ALA Notable Book, and a Hans Christian Andersen Award Honor Book, and was made into a major motion picture. Jean Craighead George lives in Chappaqua, New York.

¡Celebremos!

✺ ✺ ✺

¡Celebremos!

Las fiestas de México, Cuba, y Puerto Rico, y su vigencia en los Estados Unidos

VALERIE MENARD
prefacio de CHEECH MARÍN

RANDOM HOUSE ESPAÑOL—NUEVA YORK

A mis padres, Joe y Elisa

Publicado por la casa editorial Random House Español, una división del Random House Information Group, 280 Park Avenue, New York, NY 10017, USA, afiliado del Random House Company. Fue publicado en inglés en 2000 por la casa editorial Marlowe & Company, bajo el título *The Latino Holiday Book: From Cinco de Mayo to Día de los Muertos*. Copyright © 2000 por Valerie Menard; copyright © 2000 del prefacio de Cheech Marín.

Copyright © 2002 de la traducción por Random House Español.

Random House, Inc., Nueva York (Estados Unidos); Toronto (Canadá); Londres (Reino Unido); Sydney (Australia); Auckland (Nueva Zelanda).

www.rhespanol.com

RANDOM HOUSE ESPAÑOL y su colofón son marcas registradas del Random House Inc.

Edición a cargo de José Lucas Badué.

Traducción de Vicente Echerri.

Diseño del libro por Nancy Sabato.

Diseño de la cubierta por Fernando Galeano.

Producción del libro a cargo de Marina Padakis, Lisa Abelman y Pat Ehresmann.

ISBN 0-609-81117-7

Impreso en los Estados Unidos de América.

Printed in the United States of America.

Primera edición

10 9 8 7 6 5 4 3 2 1

Contenido general

Prefacio

Uno de mis recuerdos más antiguos es el de una bolsa de compras adornada de papel crepé que me oscila por encima de la cabeza. La ocasión era mi cuarto cumpleaños y la bolsa era el intento casero de mi madre de hacer una piñata. Una piñata en su diseño más elemental es una bolsa grande llena de caramelos. Esta piñata peculiar se sostenía por una cuerda insertada entre dos árboles y maniobrada por un tío mío ligeramente ebrio.

El proceso que seguía se desarrollaba más o menos de esta manera: todos los niños se alineaban y, uno a uno, con los ojos vendados, le daba tres vueltas; luego le entregaban un bate de béisbol y lo empujaban en dirección a la piñata danzante. Entre sorbos de cerveza, la tarea de mi tío consistía en que la piñata permaneciera intacta hasta que al niño que cumplía años (es decir, yo) le llegara su turno. De algún modo la venda se aflojaría, permitiendo un furtivo atisbo inferior y, como por arte de magia, la piñata se quedaría casi quieta.

Cuando yo finalmente le asestara el golpe, se produciría como una explosión de caramelos, que era la señal para que todos los otros niños se lanzaran a la carga como una turba salvaje. Era como la caza de un huevo de Pascua estimulada por esteroides. Otro de mis tíos, algo ebrio también y más valiente, tenía la tarea de agarrarme en medio de mi representación de Mark McGuire, de manera que la fiesta no terminara en la sala de urgencias.

La piñata es la prueba positiva de que los mexicanos aman a sus hijos más que nadie. ¿A quién más se le hubiera ocurrido un juego que combina las dos cosas que más les gustan a los niños: dulces y pandemónium?

No voy a hablar de la comida y la bebida y la música que siguió. Le dejaré eso a Valerie en su maravilloso libro que usted debería leer, aunque sólo fuese para descubrir qué demonios es realmente el Cinco de Mayo.

Con amor y besos,
CHEECH MARÍN

CHEECH MARÍN fue durante quince años parte del dúo de cómicos "Cheech and Chong", irreverente y aclamado por la crítica. Junto con Tommy Chong hizo ocho largometrajes, ha aparecido en numerosas otras películas, y actualmente es coprotagonista del drama de televisión *Nash Bridges*. Galardonado en 1999 con el Premio ALMA al Servicio de la Comunidad que otorga el Consejo Nacional de La Raza y los productos Kraft en nombre de la colonia latina, él sigue actuando, escribiendo y dirigiendo, ofreciendo una línea de salsas picantes, y aumentando su colección de arte chicano, la mayor en manos de un ciudadano particular.

Reconocimientos

Requiere muchísima ayuda escribir un libro y me gustaría darles las gracias aquí a las personas que me ayudaron a terminar este proyecto: los funcionarios de las organizaciones culturales populares de todo el país que proporcionaron inapreciable información. Del Centro Cultural de Aztlán, en San Antonio, al Museo del Barrio en Nueva York, estas organizaciones existen para asegurar que las tradiciones culturales y la historia latinas sobrevivan, aun después de generaciones de aculturación. Querría agradecerles a los directores de todas estas agrupaciones por su ayuda—muchas se citan en este libro—y especialmente al padre Michael Meléndez de la parroquia de San Miguel en Flushing, Nueva York, por su entusiasmo.

Muchos profesores me ofrecieron una ayuda inestimable, comenzando con Gilberto Cárdenas del Programa Interuniversitario para la Investigación Latina de la Universidad de Notre Dame. Conozco al doctor Cárdenas desde sus días como profesor de sociología en la Universidad de Texas en Austin, cuando yo era editora de la revista *Hispanic*. Siempre que necesitaba un experto en cualquier tema de la cultura latina, era él la primera persona a la que acudía y él siempre me ponía en contacto con gente estupenda. Para este libro, me presentó a Amelia Malagamba, profesora de historia del arte de la Universidad de Texas, y al profesor Lisandro Pérez de la Universidad Internacional de la Florida. Gracias también al profesor David Montejano de la Universidad de Texas, quien me refirió a los profesores Richard Flores, José Limón y Mauricio Tenorio, y al profesor Federico Suberví por empezar mi lección de cultura puertorriqueña.

Gracias a los bibliotecarios de la Colección Latinoamericana Austin Benson de la Universidad de Texas por haber hecho los archivos de la Universidad en lo tocante a los hispanos en los Estados Unidos. Cuando me propusieron hacer este libro, me animaron a aceptar la encomienda por saber que esa biblioteca de investigación atesoraba una riqueza de inapreciable información. No obstante, las bibliotecas siguen subestimadas, incluso en una universidad como la Universidad de Texas, de manera que espero que este encomio le brindará a los bibliotecarios la oportunidad de solicitar con éxito un mayor presupuesto para adquirir libros y periódicos.

Gracias especialmente a Cheech Marín por avenirse a escribir el prefacio y por confirmar mi teoría de que es el tipo más simpático de Hollywood. A los autores citados en este libro, que se tomaron el tiempo para investigar la cultura latina en los Estados Unidos para sus propios libros, gracias por esa dedicación. *¡Celebremos!* es simplemente otra contribución a una biblioteca en expansión dedicada a exponer el tema de los latinos en los Estados Unidos y a instruir a la gente acerca de esta población antigua y en constante crecimiento.

Finalmente, gracias a mi marido Reid, por su apoyo; a mis amigos por sus estupendas ideas; a Melanie Cole, por hacer lo que ella hace tan bien; gracias también a Random House Español por poner este libro a disposición de más lectores latinos; a mi editor en *español*, José Lucas Badué, por su generosidad; a Vicente Echerri, que tradujo el libro con gran sensibilidad y cuidado; y a mi agente Laura Dail, por su gran idea de hacer este libro, por comprender la importancia cultural de tal proyecto, y por encontrarme. *Órale,* a todos ustedes.

Introducción

Las fiestas significan las cosas buenas de la vida. Cuando menos, significan un día feriado, sin trabajo, y, en el mayor de los casos, ofrecen una maravillosa oportunidad de pasar el tiempo con familiares y amigos y vincularse con la cultura de uno. Algunas fiestas son más divertidas que otras, pero, en dependencia de las tradiciones de cada familia, una fiesta suele crear más expectativas que el resto. Para mí esa fiesta tendría que ser la Navidad. Soy una enamorada perdida de la Navidad. Aunque me siento un poco deprimida cuando veo adornos de Navidad en septiembre, intento ignorarlos de manera que no me estropeen el espíritu de Navidad que se abalanza sobre mí después del Día de Acción de Gracias. Mi favorita tradición navideña es adornar el árbol de Navidad. Mi arreglo es tradicional: un pino que carga un baturrillo de viejos adornos de vidrio, otros nuevos y resplandecientes que compro después de Navidad, y algunos de naturaleza ecléctica que encuentro para recordar todas las vacaciones que he tomado con mi marido, desde una rosa inglesa de fieltro con lentejuelas que compré en Londres, hasta relucientes conchas marinas de la costa de Texas hasta una gran manzana dorada que compré en Nueva York en nuestra luna de miel.

Como mexicoamericana de segunda generación, también me

esfuerzo en conservar viva una tradición cultural de Navidad: el hacer tamales. He pasado los últimos seis años bajo la paciente tutela de mi madre, practicando su antigua receta en un ejercicio que he llamado "universidad del tamal". He puesto por escrito la receta de mi madre, obligándome a medir los ingredientes que ella, por lo general, siguiendo de memoria la receta que le legaron, toma con la mano en lugar de hacerlo con una cuchara de medida. [Esta receta] la he puesto en papel varias veces porque tiendo a perderla de un año a otro. Pero el ejercicio la perfecciona, y ahora puedo hacerlas de memoria como mi madre. Soy una graduada de la universidad del tamal.

Cuando mi agente, Laura Dail, me propuso escribir un libro acerca de las fiestas hispanas, yo lo acepté en el acto, no sólo porque las fiestas significan mucho para mí, sino también porque las celebraciones de mi propia cultura renuevan cálidos nexos con mi familia y mis amigos. La conexión latina me resulta importante; ciertamente toda mi carrera de escritora se ha centrado en la colonia hispana de los Estados Unidos. Desde mi primer empleo periodístico como subdirectora de un semanario bilingüe en Austin, Texas, hasta mi trabajo más reciente como redactora principal de una revista nacional en inglés para hispanos, mi carrera profesional se ha vinculado a la colonia latina. Esta experiencia me ha brindado un conocimiento inapreciable y continuo acerca de mi origen étnico.

Una de las primeras lecciones profesionales que aprendí fue que los medios de prensa en español se las arreglan para combinar la promoción [de una causa] con el periodismo. Debido a que la prensa mayoritaria tan a menudo retrata negativamente a nuestras culturas, los medios de prensa hispanos procuran resaltar lo positivo. Las historias que ofrecen una perspectiva de la colonia latina que rara vez se atiende. A estos fines son útiles las historias de carreras exitosas, las semblanzas de latinos famosos, y artículos acerca de las artes y la cultura hispanas. Sé por experiencia personal cuánto pueden desgarrar el corazón y el alma de un individuo los estereotipos negativos. Sé también que sólo mediante la educación la sociedad puede avanzar.

La naturaleza irresistible de la cultura latina se le ha revelado a la sociedad en general a través de nuestra comida: la salsa mexicana es ahora el primer condimento en los Estados Unidos, mucho más que el *ketchup*; y las tortillas se venden más que el pan blanco en muchas partes del país, donde también, a fines del siglo veinte, la música latina y sus estrellas reciben una formidable acogida. Hay historia, idioma y tradición. Sólo a través del aprendizaje puede este país llegar a familiarizarse más con la explosión demográfica hispana. Los maestros saben que la mejor manera de enseñar una asignatura es hacerla interesante y divertida; así, pues, para lograr mi meta de instruir a la gente en la historia y las tradiciones de la cultura latina, pensé yo, "¿Qué modo mejor de hacer esto que explicando algo tan divertido como las fiestas?". De ahí que mi respuesta a la propuesta de escribir este libro fuera, "¡No sólo quiero escribirlo, debo escribirlo!".

Como el primero en su clase, este libro es un panorama de las tradiciones festivas de los latinos en los Estados Unidos, según han ido evolucionando a lo largo de varias generaciones en este país. Por esa razón, el libro se concentra en los tres grandes grupos étnicos que existen dentro de la familia latina en los Estados Unidos: los mexicoamericanos (que representan el 64 por ciento de los latinos en los Estados Unidos), los puertorriqueños (el once por ciento) y los cubanoamericanos (el cuatro por ciento). Puesto que la historia de la colonia mexicoamericana en este país precede a los peregrinos ingleses, muchas de las fiestas a que nos referimos en esta obra parten de las celebraciones populares. La historia de los cubanoamericanos y de los puertorriqueños en este país, aunque no tan extensa como la de los mexicoamericanos, también contiene tradiciones singulares y fascinantes. Estos tres grupos latinos cuentan con la historia más larga en los Estados Unidos, y aunque hay libros acerca de ciertas fiestas latinoamericanas, nadie ha escrito aún un libro sobre cómo estas tradiciones fueron traídas por los inmigrantes y transformadas por la cultura norteamericana.

Las fiestas latinas tienen tres orígenes principales: cultura, historia y religión. Aunque todas las festividades religiosas que abordamos son católicas, es importante advertir que no todos los hispanos son feligreses de la Iglesia Católica. Sin embargo, la asociación con esta denominación religiosa es profunda, y su influencia es aún bastante poderosa entre la mayoría de los hispanos.

Espero que este libro les permita adentrarse en algunas formas completamente nuevas de festejar, y que mi libro les entusiasme tanto como les informe. Me enorgullezco de pertenecer a una cultura tan alegre y tan sabia. Hemos trascendido nuestra historia agridulce y aportado un poco más de color, vivacidad y alma a esta Norteamérica nuestra.

¡Felicidades!

¡Celebremos!

✳ ✳ ✳

Primavera

CELEBRACIONES DE RENOVACIÓN

Calle Ocho

FESTIVAL PÚBLICO A RITMO DE SALSA

Pascua Florida

LOS CASCARONES AVIVAN LA FIESTA

Cinco de Mayo

VICTORIA EN FRANCA DESVENTAJA

La Cuaresma y la Pascua Florida (o de Resurrección) son de gran importancia para los cristianos. El Domingo de Pascua—el clímax de los cuarenta días de ayuno de la Cuaresma—se tiene por la fiesta cristiana más sagrada, aun más que la Navidad. Según los Evangelios, fue mediante el sacrificio de su propia vida que Cristo salvó las almas de todos los cristianos. Desde los católicos a los presbiterianos, el milagro de la resurrección de Jesucristo afirma los fundamentos de cada denominación. Debido a que tantos latinos son cristianos devotos, es natural que la Pascua de Resurrección sea una de las celebraciones más importantes del año.

La primavera es portadora de un jubiloso mensaje de renacimiento, de suerte que muchas tradiciones asociadas con la
Pascua adquieren ese carácter. En América Latina reverencian
tanto la Pascua, que su celebración se extiende por toda una semana, llamada la Semana Santa, y los patronos comprensivos
suelen avenirse a cerrar sus negocios durante ese tiempo. Pero
a la mayoría de los trabajadores en los Estados Unidos sólo les
dan feriado el Viernes Santo. Es tal vez porque echan de menos
la Semana Santa que los latinos en los Estados Unidos, tales
como los cubanoamericanos y los mexicoamericanos, le añaden su propio tono a estas festividades.

Si bien todos los hispanos observan los ritos religiosos de
la Cuaresma y la Pascua de Resurrección, los cubanoamericanos de Miami celebran el carnaval de la Calle Ocho justo antes
de empezar la Cuaresma, alrededor de la segunda semana de

marzo, como una versión latina del *Mardi Gras* francés. Para Pascua, los mexicoamericanos crean los *cascarones,* una divertida variación de los huevos de Pascua. Y a mediados de la primavera, el Cinco de Mayo es una jubilosa celebración cultural de una victoria sobre formidables adversarios.

PRIMERA SEMANA DE MARZO

Calle Ocho

✿ ✿ ✿

Festival público a ritmo de salsa

Cuarenta días es ciertamente mucho tiempo para pasarlo sin comer. Pero la tradición cristiana de la Cuaresma, el período de ayuno que limpia el cuerpo de impurezas, es una metáfora de la limpieza del alma que tiene lugar en la Pascua de Resurrección. A través de los siglos, este período se ha ido tornando cada vez menos de ayuno y cada vez más de tiempo para que los cristianos mediten en el significado del sacrificio. En vez de ayunar, ahora los fieles prefieren renunciar a alguna cosa durante la Cuaresma. No siempre es comida; puede ser, sencillamente, algo que les guste. Privarse de un pasatiempo favorito, de un capricho o de algo de comer, es un gesto simbólico que les recuerda a los cristianos el sacrificio que Cristo hizo para perdonarles sus pecados y salvar sus almas.

Pero antes de este período de meditación y austeridad es apropiado consentirse un período de *gran* licencia. Tanto el Mardi Gras como el Carnaval llegaron a ser grandes festines precuaresmales. La ocasión es la misma para el festival de la Calle Ocho en Miami, pero el objetivo de este festival no es sólo de disfrute sensual, sino que constituye también un acto de afirmación cultural.

DISFRUTANDO EL SABOR

El Festival de la Calle Ocho ofrece deliciosos platos, ritmos ardientes y briosos bailes; en este caso bailar salsa en la calle. Auspiciado por el Club de los Kiwanis de la Pequeña Habana, una organiza-

Carnaval

Para los hispanos, la celebración conocida como *Mardi Gras*, o Martes de Grasa, se llama Carnaval. El carnaval más famoso se celebra en el Brasil, pero los cubanoamericanos de Miami también celebran una versión de esta fiesta, llamada el Festival de la Calle Ocho. Esta fiesta precuaresmal recibe su nombre de la calle que atraviesa el corazón de la colonia cubana de Miami, conocida como La Pequeña Habana. En el festival de la Calle Ocho en Miami, se espera que usted—antes de la purificación y el sacrificio que se exige durante la observancia de la Cuaresma—baile salsa y disfrute de la extraordinaria comida y bebida cubanas, así como de música con ritmo de salsa y de merengue. ¡Salud!

ción sin fines lucrativos fundada en 1975, la celebración, que dura una semana, comenzó como una fiesta de quince cuadras de largo, con seis escenarios para músicos y capacidad para 100 mil asistentes. Para el año 2000, el evento se había extendido a 23 cuadras e incluía más de cincuenta tarimas, treinta graderías, y más de un millón de asistentes. Es una muchedumbre multicultural la que transportan los autobuses de rayas verdes y azules de Miami: puertorriqueños, dominicanos, colombianos, norteamericanos negros y blancos, todos cantando, bailando y dispuestos a divertirse.

La música tiene un lugar primordial en el festival, desde las bandas menos conocidas de Miami hasta actuaciones con primeras figuras como Celia Cruz, Gloria Estefan y Arturo Sandoval. Con los irresistibles ritmos de rumbas, mambos y cha-cha-chás en el aire, siempre hay sitio para bailar. José Marbán, presidente honorario del festival, apunta: "[El festival de la] Calle Ocho ha llegado a ser un poquito de todo. Es una combinación de Mardi Gras y Carnaval". En Noche de Carnaval, el concierto de apertura, participan los más famosos intérpretes latinos. No se sorprenda si la multitud forma una *conga*, el famoso baile cubano de uno en fondo.

Toda la música y el baile despierta el apetito de los participantes, por consiguiente a lo largo de la calle hay vendedores que pregonan deliciosos platos cubanos, como arroz blanco, frijoles negros, lechón asado y *tostones* (plátanos verdes fritos), yuca, pinchos y flan. El festival ha ido evolucionando hasta llegar a reflejar la población caribeña no cubana de Miami, de manera que también hay pollo charquí jamaicano o pastel de batata bahamense para saborear.

La historia de los cubanoamericanos en este país se remonta al siglo XIX. Los conflictos políticos con España trajeron al primer grupo y un conflicto ideológico empujó a los últimos. Los cubanoamericanos se han establecido en Florida, y si bien muchos siguen vinculados a la isla, desean aún más compartir su cultura con sus vecinos norteamericanos. Calle Ocho se ha convertido en el primer festival a través del cual ese deseo se ha llegado a cumplir.

EL NACIMIENTO DE LA PEQUEÑA HABANA

Desde la Guerra Hispano-Americana, los cubanos habían emigrado a los Estados Unidos en pequeñas cantidades, pero el surgimiento del dictador cubano Fidel Castro dio lugar a un súbito éxodo de la isla a la Florida, particularmente a Miami. Para 1960, millares de cubanos habían emigrado, escapando del régimen comunista de Castro. La mayoría de esa gente eran ricos terratenientes, empresarios y funcionarios del gobierno, que habían sido las primeras víctimas de Castro después de la revolución, y a quienes se les confiscaron sus propiedades y los excluyeron de sus empleos. Cuando llegaron a Miami, se avecindaron en una zona de la ciudad que con el tiempo se llamaría La Pequeña Habana.

La mentalidad del exiliado difiere de la del emigrante. Los cubanos fueron obligados a salir de su país debido a un conflicto político, no económico, y por esa razón, sus nexos con la isla siguen siendo tan fuertes, robustecidos por un sentido de nostalgia. La preocupación por la pérdida de su cultura también alentó a los emigrados a recrear un estilo de vida cubano en los Estados Unidos, que dio lugar al desarrollo de la Pequeña Habana y de la calle que la atraviesa, la Calle Ocho. "Las primeras actividades culturales de los cubanos emigrados partieron de su necesidad compulsiva de proteger su *cubanía* de los efectos de las fuerzas de la sociedad norteamericana que laboraban por la aculturación", escribe Miguel González-Pando en su libro *The Cuban Americans* (Greenwood Press: Westport, Connecticut, 1998). "Sus primeras manifestaciones culturales reafirmaban simplemente el sentido de identidad nacional de los emigrados en una tierra extraña".

Además de conservar su cultura, a estos exiliados cubanos también les preocupaba recuperar la riqueza que habían dejado detrás. Con su creciente prosperidad económica, el exilio cubano de Miami comenzó a financiar actividades artísticas y culturales. Pero una nueva oleada de emigrados y su participación en la Cuba poscastrista, llevarían el ambiente cultural de la Pequeña Habana en una nueva dirección.

LOS MARIELITOS

Veinte años después de su ascenso al poder, Castro sintió las presiones de su política de puertas cerradas hacia los exiliados de Miami. Su país estaba luchando económicamente, y cada vez más cubanos se sentían empujados a unirse a sus familiares en los Estados Unidos. En mayo de 1980, Castro invitó a los exiliados de Miami a que fueran a Cuba y se llevaran a cualquier cubano que deseara irse. Estos fueron a recoger la nueva tanda de emigrados al puerto de Mariel, razón por la cual el suceso resultó conocido como "el puente marítimo del Mariel" y a los recién llegados a Miami por esta vía les llamaron *marielitos*. Luego de cinco meses de frenética inmigración, el exilio cubano de Miami contaba con 125 mil personas más.

La presencia de esta nueva población cambió visiblemente la sociedad de Miami. La imagen del exilio cubano ya no sería más exclusivamente próspera y rica. Los marielitos no eran ricos en Cuba y, en términos económicos, traían menos que la primera oleada posrevolucionaria de los años sesenta. Sin embargo, sí traían un temperamento cultural que promovió un renacimiento artístico en la Pequeña Habana y dio lugar a la creación del Festival de la Calle Ocho. "Entre los 125 mil nuevos refugiados que vinieron en ese éxodo, había una cantidad significativa de artistas y de intelectuales que habían crecido bajo el régimen revolucionario el cual había puesto mucho énfasis en la promoción de actividades culturales", escribe González-Pando. "Su repentino arribo hizo más que inyectar una fresca dosis de *cubanía* en la nación cubana exiliada; añadió una rica dimensión cultural a una colonia emigrante que hasta entonces se caracterizaba por el predominio de empresarios y profesionales de clase alta y media culturalmente apáticos".

Eventos tan establecidos como la Feria Internacional del Libro de Miami, el Festival de Cine de Miami, y el Festival Internacional

El ritmo en la red cibernética

El Internet es un magnífico lugar para buscar información sobre los feriados hispanos más conocidos. En el caso del Festival de la Calle Ocho, el primer cibersitio que debe consultar es *www.carnaval-miami.org*. En esta página obtendrá los pormenores para viajar a Miami y dentro de Miami, el calendario de actividades del festival de una semana de duración, y los nombres de las presentaciones más importantes que descuellan en la celebración.

Esta página electrónica resulta muy atractiva desde el punto de vista audiovisual. Un corto introductorio hace la pregunta: "¿Qué cosa dura diez días, comienza en Miami, termina en Latinoamérica, tiene millones de pies y baila a ritmo de salsa?". La respuesta, por supuesto es el Carnaval de la Calle Ocho. El portal electrónico auspiciado por los Kiwanis, ayuda a los usuarios a entender el festival. Explica que ese carnaval de Miami se celebra los dos primeros fines de semana de marzo, a partir de la Noche de Carnaval el primer sábado. Un programa repleto de estrellas con intérpretes, bandas y grupos de danzas internacionales entretiene a una inmensa multitud en el Orange Bowl. Este evento se transmite por televisión para todos los Estados Unidos y América Latina.

de Teatro Hispano se les atribuyen a los marielitos. Para 1978, Calle Ocho había echado las bases y estaba en camino de convertirse en el mayor festival cultural cubano del país.

Enlaces con el sitio le indican actividades especiales planeadas para la celebración de este año, tales como "El cigarro más grande del mundo". También encontrará qué artista famoso ganó el Concurso al Cartel del Carnaval de Miami, cómo participar en un certamen de cocina, cómo conseguir camisetas del festival y otros *souvenirs*, dónde encontrar el *Golf Classic* y el parque de diversiones de la Calle Ocho, y mucho más.

Otro sitio repleto de información que aporta datos sobre el festival de la Calle Ocho es *www.salsaweb.com*. En este portal electrónico, que se especializa en música y entretenimientos, hallará descripciones de las ofertas musicales. Una de las notas en esa página que describe el festival dice: "El domingo es Calle Ocho. La Calle Ocho queda interrumpida (al tránsito de vehículos) desde la Cuarta Avenida a la Avenida 27. Hay treinta tarimas—una grande en cada extremo y una en la mayoría de las intersecciones. Algunos de las cantantes y orquestas más populares de salsa y merengue hacen varias interpretaciones en las distintas tarimas. Las actuaciones en la plataforma de la Avenida 27 se transmiten por televisión para todos los Estados Unidos y América Latina. A medio camino a lo largo de la ruta hay paseos de carnaval y quioscos de juegos. Todo comienza a mediodía hasta las ocho de la noche, o hasta que Óscar de León pare de tocar".

Visite éste y otros sitios para que le eche un vistazo y se entere de lo que le reserva el festival.

Pascua Florida

❀ ❀ ❀

Los cascarones avivan la fiesta

Luego de las festividades precuaresmales del Carnaval y Calle Ocho viene el Miércoles de Ceniza, el primer día de la Cuaresma. Durante la Cuaresma (que significa cuarenta días), los católicos, los ortodoxos y algunos protestantes observan cuarenta días (sin contar los domingos) de ayuno y penitencia. Este período concluye con la celebración del Domingo de Pascua que conmemora la resurrección de Cristo.

HISTORIA DE LOS HUEVOS PINTADOS

Adornar huevos de Pascua no es una costumbre exclusivamente norteamericana, y sus orígenes ni siquiera son cristianos. Desde tiempos antiguos, los huevos han sido el símbolo universal de la

Los cascarones

El huevo es el símbolo perfecto de la renovación, propio de la primavera. Cuando llega Pascua, los hispanos le agregan un nuevo sentido a la búsqueda y decoración de los huevos de Pascua: el *cascarón* mexicano. La idea consiste en vaciar y limpiar cáscaras de huevo, por lo menos un mes antes de Pascua, a fin de crear los cascarones. Si bien no puede determinarse el origen de esos huevos festivos, la práctica ha existido en México por lo menos desde comienzos del siglo XX y se ha transmitido por generaciones. Los huevos duros de Pascua se supone que los esconda el conejo pascual, y que los niños los encuentren y se los coman, pero los cascarones, que se llenan de confeti y se sellan con "sombreros" de papel de China de vivos colores, ¡están destinados a romperse en la cabeza de la gente!

fertilidad y se usaban como parte del ritual de la cosecha. El huevo se usaba también como un objeto positivo para alejar a los malos espíritus. "Puesto que el huevo produce una nueva existencia, se consideraba un talismán, un amuleto que aleja el infortunio y propicia la buena suerte. Esta propiedad se aplicaba especialmente al huevo de gallina, que contiene el embrión del ave solar: el gallo que anuncia la llegada del sol cada día y que espanta a los espíritus malignos con su canto", escribe Zenon Elyjiv en un artículo de 1995 del rotativo *The Ukrainian Weekly*.

El huevo elemental se ha convertido en un símbolo importante para muchas fes, no sólo para el cristianismo—también, desempeña un papel fundamental en las tradiciones de la Pascua judía. Las celebraciones judías y cristianas de Pascua solían coincidir hasta el año 325 d.C. en que el Concilio de Nicea las separó. Desde entonces, ambas siguen calculándose conforme a un calendario lunar—la Pascua judía cae en el primer plenilunio después del equinoccio de primavera, mientras la Pascua Florida de los cristianos cae el primer domingo después del plenilunio de ese mismo equinoccio.

El intercambio de huevos podría derivarse de la Cuaresma. En los primeros tiempos del cristianismo, ningún alimento de origen animal podía comerse durante la Cuaresma, especialmente los huevos. Sin embargo, las gallinas no dejaban de ponerlos. En la medida que la cantidad de huevos aumentaba, los usaban para otros fines: santificar la tierra antes de arar o sembrar o espantar a los malos espíritus. Según Edythe Preet en un artículo publicado el 31 de marzo de 1999 en el diario *Washington Times:* "Por el tiempo en que terminaba la Cuaresma, las pilas de huevos habían llegado a ser gigantescas, y se convirtió en tradición romper el largo ayuno de la mañana de Pascua con una gran fiesta de huevos", escribe Preet. En la Edad Media, los cruzados presenciaron en Tierra Santa un intercambio de huevos pintados y trajeron consigo la costumbre de la fiesta de los huevos.

El pintar huevos se convirtió en una forma de arte popular en muchas partes de Europa, especialmente en los países eslavos, donde es típico el laborioso diseño de estos huevos, llamados *psyanka*, que se adornan valiéndose de una técnica *batik*, en la cual los diseños se trazan sobre el huevo con cera caliente. La creación de estos diseños llamativos es un proceso tedioso, que exige varias aplicaciones de tintes seguidas por nuevos diseños en cera con colores adicionales. Luego que el artista haya aplicado todos los tintes y diseños que sean necesarios, se derrite la cera para que el diseño resalte. Pero los diseños no son caprichosos. Se basan en antiguos símbolos y rituales. "La belleza inusual de la *pysanka* consiste de la riqueza y la diversidad de símbolos antiguos, dispuestos como ornamentos atractivos que captan la atención de la gente por su composición, su escala cromática y su fascinante distribución sobre la superficie curva y cerrada del huevo", escribe Elyjiv.

Una vez que la costumbre se estableció, se repetía cada primavera, usualmente reiterando los mismos motivos, que fueron aumentando su importancia a lo largo del tiempo. Los diseños mismos se tornaron sagrados. Como talismanes, los huevos adquirieron un papel divino, y el decorarlos se convirtió en un rito sacro más que en un pasatiempo. Sólo a ciertos artistas se les permitía decorar los huevos, lo cual conllevaba un ritual de oración. La leyenda dice que durante la ceremonia, cualesquiera pensamientos malos o negativos deben ser rechazados, porque pueden contrarrestar los poderes positivos del talismán. Luego de la conversión del país al cristianismo, afirma Elyjiv, "esta antigua costumbre pagana asociada con la primavera fue aceptada finalmente por la nueva religión y su práctica se asoció con la fiesta cristiana de la Pascua".

Los huevos de Pascua rumanos, además de resaltar los intrincados diseños de cera, usan un color muy llamativo: el rojo. Según la autora Agness Murgoei, en un artículo publicado en 1909 en la revista *Folklore,* esta práctica se arraiga en la tradición cristiana. La elección del color está vinculada a leyendas tomadas de las doctrinas ortodoxas. Una leyenda ha relacionado el color con la sangre de Cristo, que se decía había goteado sobre los huevos que su madre le había traído mientras estaba en la cruz. Otra dice que los huevos fueron usados como proyectiles, ya por María ya por José para protegerse y proteger al niño Jesús, o por los judíos contra Cristo. Una tercera leyenda se basaba en una fiesta de judíos que celebraban la muerte de Cristo, y que incluía huevos duros. Mientras hacían chistes sobre la promesa de su resurrección, uno de los invitados se supone que dijo que él creería en la resurrección de Cristo cuando el pollo que se estaban comiendo se levantara de los muertos y los huevos se pusieran rojos, lo cual ocurrió, según la leyenda.

Una nota interesante en las explicaciones de Murgoiei es la mención de cómo se usaban los huevos pintados. Los huevos se hervían durante el proceso del teñido, pero también se quiebran. "Los huevos rojos de la temporada de Pascua es un dicho [*sic*] rumano para expresar inevitabilidad, ya que la Pascua sin huevos rojos sería inimaginable", dice ella. "Existen muchas costumbres relacionadas con el intercambio o la rotura de los huevos. Si dos amigos o parientes desean romper huevos juntos, el más joven sostiene un huevo con el extremo más fino hacia arriba y dice: 'Cristo ha resucitado'. El mayor entonces rompe el huevo del menor con el extremo más fino de su propio huevo al tiempo que dice: 'En verdad ha resucitado' ".

El pintar y romper huevos tiene una larga y variada historia. El que la cultura de Europa Oriental influyera en las tradiciones de los huevos pintados en América no está claro, pero existe una conexión, gracias a la llegada del cristianismo, que trasciende los kilómetros de mar, tierra y montañas que median entre ambas regiones.

HUEVOS DE PASCUA AL ESTILO HISPANO

Al igual que los huevos rumanos rojos, los cascarones han existido durante mucho tiempo. Aunque nadie aún ha precisado la fecha en que esta costumbre comenzó, los cascarones se mencionaban en un catálogo publicado por la Sociedad Folklórica de Londres en 1897. En México y el sudoeste de los Estados Unidos, [estos huevos] se preparan y se usan para brindarle una mayor "celebración" a la solemne fiesta de la Pascua. Todo ese mismo simbolismo se aplica a los cascarones como a cualesquiera otros huevos de Pascua: fertilidad, esperanza y vida.

Al igual que sus contrapartes orientales, el contenido de los huevos se elimina y sólo la cáscara se decora para preservar la forma de un huevo. Ya no son meros símbolos utilitarios para la Pascua, sino que también han adquirido un significado social. En Ucrania, la rotura de huevos cocidos simbolizaba muchas cosas. En el ritual de golpear los huevos, la persona cuyo huevo permanece intacto se dice que tiene buena suerte para ese año. Otra versión es que el huevo representa la tumba de Cristo y que quebrar el huevo es un símbolo de la tumba que se abre. Del mismo modo, romper cascarones en la cabeza de alguien podría tener muchos significados. El acto podría simbolizar la apertura de la tumba, o podría también ser una representación de los esfuerzos por despertar a Cristo de manera que pueda levantarse para salvar a la humanidad. Cualquiera que sea la razón, el pintar huevos, rellenarlos de confeti y rematarlos con una tapita de papel de China es una costumbre peculiar de México y de los mexicoamericanos.

Puesto que el fin de hacer cascarones es divertirse, la decoración de los mismos no suele ser tan laboriosa como la de otros huevos de Pascua de otros lugares del mundo. Aunque pueden ser de colores pasteles, azul, amarillo y rosado, la mayoría de los cascarones están pintados de colores vivos. Cualquier medio sirve—tinta, pintura de acrílico, brillo—todo lo que esté a mano. Con frecuencia muestran flores, animales, arco iris, banderas, o cualquier otro símbolo que tenga algún significado para el decorador.

En un artículo de la revista *Hispanic* de marzo de 1996, la escritora Yleana Martínez recordaba la tradición pascual de su familia, que incluía cascarones: "Mis hermanos y yo, que crecimos en el Sur de Texas, nos despertábamos las tibias mañanas de primavera para salir a buscar huevos. Descalzos y en pijamas, corríamos hacia afuera, primero a buscar la cesta que había dejado La Coneja, y luego a recoger los cascarones que habíamos decorado los días anteriores a la Pascua . . . Ay del niño que por descuido llegara a aplastar algo de su precioso arsenal, porque así es lo que pensábamos de nuestros cascarones . . . Después de misa, en auto a un rancho para

Cómo hacer sus propios cascarones

Crear sus propios cascarones exige alguna planificación. La cantidad de cascarones que usted tenga al final dependerá de cuántos huevos suelen consumir regularmente en su casa y cuán pronto comience usted a guardar las cáscaras vacías. Siga estos pasos.

�֎ **Guarde.** Por lo menos con un mes de antelación, cada vez que use un huevo debe romper la cáscara con mucho cuidado por el polo más estrecho, dejando intacta la cáscara oval lo más que se pueda. (Puesto que estos huevos no son para decoración, sino para jugar, el uso de un extractor, que saca la clara y la yema por un agujerito, no es necesario.) Un agujero de aproximadamente media pulgada de diámetro es lo bastante grande para vaciar el huevo así como para rellenarlo de confeti más tarde.

✖ **Limpie.** Prepare un baño de jabón para las cáscaras vacías. Sumérjalas en el agua jabonosa y déjelos que se empapen durante varios minutos. Enjuáguelas bien. Después de que estén limpias, déjelas que se sequen y guárdelas en cajas de huevos.

✖ **Adorne.** El sábado antes de Pascua (Sábado Santo o Sábado de Gloria) su familia puede adornar los huevos como usted haría con

(continúa)

huevos normales: con PAAS (tintura para huevos de Pascua), brillo, pintura, etcétera. Sea muy cuidadoso de no quebrar los delicados cascarones (es buena idea tener a mano algunos adicionales por si hacen falta).

✸ **Rellene.** Para rellenar los huevos, use confeti ya hecho, o haga su propio confeti cortando pedacitos de papeles de colores (la segunda opción es la tradicional). Llene los cascarones hasta la mitad.

✸ **Selle.** Para tapar los huevos, use papel de china de colores brillantes. Corte círculos lo bastante grandes para cubrir el extremo abierto del huevo, aplíquele goma al borde del orificio y péguele el papel de manera que selle la abertura sin romper el huevo. El sello debe dejar el huevo con una tapita plana. Las familias pueden trabajar en equipos: un grupo se concentra en colorear y adornar los cascarones, mientras el otro grupo prepara el confeti y tapa los huevos.

✸ **Diviértase.** Recuerde, el propósito de hacerlos es rompérselos a alguien en la cabeza. Los *picnics* son fabulosas ocasiones para usar los cascarones, o tal vez durante la búsqueda de los huevos de Pascua. La diversión de los cascarones consiste en el elemento de sorpresa. Si se maneja como es, debe resultar muy divertido, nada traumático. Nunca los use como proyectiles. Mantenga el cascarón en la palma de la mano y luego busque una víctima. Escúrrase detrás de su objetivo y aplástele el cascarón en la cabeza, con rapidez, pero no con violencia. No cuesta mucho romper un huevo, mucho menos si el cascarón está vacío.

Una vez que estén rotos—y desechos en el pelo de la víctima—el confeti y los fragmentos de las cáscaras de huevo se esparcen libremente en medio de grandes risotadas.

una reunión familiar y comer la tradicional carne asada. Justo antes de la puesta del sol, uno de los mayores nos hacía señas de que había llegado la hora. Todas las maneras y la educación se perdían mientras nos perseguíamos unos a otros rompiendo docenas de cáscaras de huevo pintadas contra los delicados cráneos".

Cinco de Mayo

❊ ❊ ❊

Victoria en franca desventaja

El atractivo del Cinco de Mayo en los Estados Unidos no es difícil de entender. El Cinco de Mayo casi siempre significa una fiesta gigantesca con comida, música y baile para atraer a un público multicultural. La fiesta ha llegado a ser tan popular en este lado de la frontera que el correo de los Estados Unidos emitió un sello de correos para conmemorar la ocasión.

Además de ser una gran fiesta, el Cinco de Mayo ofrece la oportunidad de sumergirse en la cultura mexicoamericana. Experimentar esa cultura al asistir a una celebración del Cinco de Mayo significa presenciar el colorido y el entusiasmo de los bailarines del ballet folklórico, enardecerse con el irresistible compás de las tonadas del mariachi, como "Guadalajara" y "Jalisco", y saborear deliciosos platos mexicanos, tales como las gorditas (gruesas tortillas de maíz rebanadas como pan de pita y rellenas de lechuga, tomate, carne, pollo o queso) y buñuelos. Pero, ¿qué es, en verdad, lo que celebramos?

Una inesperada victoria alerta a una nación

Contrario a lo que muchos creen, el Cinco de Mayo no celebra la independencia de México, sino más bien el resultado de una batalla entre un pequeño ejército mexicano y un gran ejército francés.

La fiesta más incomprendida

El Cinco de Mayo puede ser la fiesta hispana más popular y también la que se presta a mayor confusión. Muchos en este país suponen que el 5 de mayo se celebra la independencia de México de España, lo mismo que el 4 de julio se celebra de nuestra independencia de Gran Bretaña. En realidad, el Cinco de Mayo no significa la independencia de España, la cual se celebra el 16 de septiembre, sino que conmemora una importante batalla—del tipo David frente a Goliat—en la historia de México. Debido a que la fiesta tiene lugar bien entrada la primavera, las celebraciones del Cinco de Mayo ocurren en toda la nación al final de año escolar, lo cual le permite a todo el mundo—no sólo a los hispanos—participar del baile (ballet folklórico), de la música (mariachis, conjuntos) y disfrutar de la comida (tacos, gorditas, buñuelos) de México.

En 1862, el general Ignacio Zaragoza dirigió exitosamente su pequeña fuerza de cuatro mil hombres contra un ejercito francés dos veces mayor que resultó derrotado en la ciudad de Puebla. Debido al tema de David frente a Goliat que resalta en esta batalla, es recordada por los mexicanos y los mexicoamericanos como un notable ejemplo de determinación, de valor y de ingenio frente a un adversario abrumador. La victoria no condujo directamente a la libertad de México porque la ocupación francesa, que se produjo cuarenta años después de que México se independizara del gobierno español, se intensificó después de esta batalla. Pero cinco años después de la Batalla de Puebla, México logró alcanzar una permanente independencia.

La independencia de México no se logró rápida ni fácilmente, a diferencia de los Estados Unidos, que una vez lograda su independencia de la Gran Bretaña, nunca la perdió. México cambió varias veces de mano y libró una guerra civil antes de que finalmente se estableciera como un estado soberano. La Batalla de Puebla, que es el telón de fondo del Cinco de Mayo, tuvo lugar antes de la revolución mexicana, cuando el país estuvo sujeto a una breve ocupación francesa e intentaba todavía levantarse de los estragos dejados por la Guerra México-Americana de 1846–1848.

En 1861, México acababa de recuperarse de sus propias luchas internas por disminuir el control que le imponía la Iglesia Católica. Benito Juárez había subido a la presidencia, pero el país le debía dinero a la Gran Bretaña, España y Francia. Juárez les solicitó una moratoria a estas naciones para el pago de la deuda. España y la Gran Bretaña resolvieron el problema con México por la vía diplomática, pero Francia tenía otras necesidades que quería satisfacer, y un candidato a emperador que deseaba llevarlas adelante: Fernando Maximiliano de Habsburgo.

Segundo en la línea de sucesión al trono austro-húngaro, Maximiliano tenía el deseo de reinar, pero no contaba con los medios. Mientras su hermano mayor, Francisco José, había sido educado para subir al trono, Maximiliano había dedicado gran parte de su vida a viajar a países cercanos como España, y también a lugares remotos como el Brasil. Era un aspirante a emperador sin país, pero, puesto que la reforma mexicana se arraigaba con dificultad y muchos de los exiliados de la aristocracia mexicana mantenían sus ilusiones de establecer un imperio en México, surgió una oportunidad para Maximiliano. Napoleón III gobernaba en Francia, y con su esposa, Eugenia de Montijo, compartía un enorme interés en apoderarse de México. Eugenia, que era española, veía un imperio mexicano como un medio de vengar a España que los mexicanos habían derrotado cuarenta años antes. Para Napoleón, establecer una presencia en México sería poner un pie en Norteamérica, y posiblemente propiciar una oportunidad para aprovecharse de la debilidad de los Estados Unidos surgida en ese momento por la Guerra de Secesión.

Fue así que tropas francesas invadieron México, y excepto por unas pocas pérdidas como la que sufrieron en Puebla, la toma del país fue un éxito. El presidente Benito Juárez abandonó Ciudad México, aunque mantuvo el control del norte de México durante toda la ocupación francesa. El 10 de abril de 1864, Maximiliano aceptó la corona de México, pero su reinado duraría solamente tres años.

Un ardid ganadero

En la batalla de Puebla, el bien adiestrado ejército francés se enfrentó al ingenio de una nación desesperada. Los dragones franceses de Maximiliano se encontraron con el general Zaragoza y el coronel Porfirio Díaz (que con el tiempo llegaría a ser el más infame presidente de México) y sus tropas de mexicanos, zapotecas e indios mestizos. Zaragoza envió a Díaz y la famosa caballería mexicana a atacar el flanqueante ejército francés. La caballería francesa respondió de la misma manera, dejando sólo la infantería posicionada en el centro del campo de batalla. En una ingeniosa maniobra, Zaragoza soltó un rebaño de vacas que corrieron en estampida al frente de su infantería y que sirvieron de parachoques así como para dividir a las fuerzas francesas, lo cual lograron con gran eficacia.

La victoria de Puebla no le puso fin a la invasión francesa, pero para muchos marcó el principio del fin del control extranjero de México. Los corridos sobre la batalla infundieron esperanza en el pueblo durante los cinco años que duró la ocupación francesa, hasta que Maximiliano finalmente se rindió en mayo de 1867. Para entonces, ya no tenía otra opción. La continua resistencia del pueblo mexicano y de su oculto presidente, Juárez, constituía un serio gravamen económico para Francia. El 15 de enero de 1866, Napoleón III decidió terminar la ocupación y retiró a sus tropas. La esposa y principal consejera de Maximiliano, la emperatriz Carlota, regresó a Europa y finalmente a su tierra natal, Bélgica. Maximiliano se rindió más de un año después. El 19 de junio de 1867, él y sus generales fueron ejecutados por un pelotón de fusilamiento. La ocupación de México por una potencia extranjera había terminado por fin.

CÓMO SURGIÓ EL CINCO DE MAYO

La popularización del Cinco de Mayo como una celebración cultural no ocurrió de la noche a la mañana. Fue un proceso gradual que, según un estudioso, comenzó en los Estados Unidos durante el tiempo de la invasión francesa de México, con mexicanos de California (o del norte de México) que querían mostrar su solidaridad con la madre patria.

Usando la colonia hispana de San Francisco como base de su

estudio, la investigadora Laurie Kay Sommers dividió la evolución del Cinco de Mayo en tres etapas. Para ello cita un artículo publicado en un periódico de la colonia hispana de San Francisco, *La voz de México*, el 26 de mayo de 1862, que comenta la batalla de Puebla. El año siguiente, mientras los mexicanos seguían resistiendo la ocupación francesa, un empresario mexicano comenzó un baile del Cinco de Mayo. Esta primera fase, escribe Sommers en un artículo de 1984 publicado en la revista *Journal of American Folklore,* continuó hasta la década de los cincuenta del pasado siglo, y mantuvo el mismo formato: bailes privados organizados por varios clubes cívicos y sociales mexicanos. Los elementos cívicos de la celebración incluían discursos acerca del significado de la fecha, un desfile con carrozas, y danzas folklóricas de España y México realizadas por grupos de la zona. En todo ese tiempo, las celebraciones siguieron siendo locales y reducidas a la colonia mexicoamericana de esa ciudad.

Pero todo eso cambió en las décadas de 1960 y 1970. Los años sesenta, una década tumultuosa, trajo consigo muchos cambios constructivos para la gente de color a través del movimiento en favor de los derechos civiles. Al igual que la colonia afroamericana, la colonia hispana en los Estados Unidos comenzó a exigir igualdad y a luchar contra todas las formas de discriminación: en la escuela, el empleo e incluso en la tienda de víveres. A partir de esta creciente conciencia de sí mismos, surgió el movimiento chicano como un empeño de parte de los mexicoamericanos de recuperar sus raíces indígenas, y de reconocer la lucha de los pueblos nativos en México contra los conquistadores españoles y otros invasores europeos. El ímpetu del movimiento pro derechos civiles hizo surgir al movimiento chicano de los sesenta y los setenta.

Según Sommers, fue en esa época que los chicanos comenzaron a buscar una celebración que reflejara su experiencia e historia en los Estados Unidos. Asimismo, algunos educadores que no eran ajenos al movimiento de los derechos civiles, se fueron haciendo cada vez más consciente de la importancia de incorporar temas que tuvieran una significación cultural a los currículos escolares. Para ambos grupos, el Cinco de Mayo reunía estas condiciones.

La conmemoración cae cerca del fin del año escolar, en la primavera, de manera que resultaba más atractiva para los educadores que la verdadera celebración de la independencia de México, el 16 de septiembre, la cual tiene lugar al comienzo mismo del curso. Esto les daba a los maestros más tiempo para preparar actividades para la celebración y ofrecerles a sus estudiantes alguna instrucción al respecto. La iniciativa del Cinco de Mayo adquirió mayor impulso en 1968 con la aprobación de la Ley de la Educación Bilingüe, que aumentó drásticamente los fondos federales para los currículos multiculturales.

Para los chicanos, la fecha resultaba más atractiva que la del 16 de septiembre debido a su simbolismo y su mensaje. Sus anhelos de independencia acentuaron la audacia y la fuerza del ejército mexicano, y su victoria se convirtió en un ejemplo clásico de autodeterminación. Considerados una minoría en los Estados Unidos, los chicanos ahora podían identificarse con las fuerzas mexicanas inferiores en número a las francesas, y aunque su lucha recién había comenzado, esperaban emular el éxito que aquellas habían tenido en la batalla. También el hecho de que el general Zaragoza hubiera nacido en la parte de México que se convirtió en Texas vinculaba la batalla más estrechamente a la experiencia de los mexicanos en los Estados Unidos, mientras que el 16 de septiembre era una fecha significativa en México, pero no tenía ninguna conexión con los Estados Unidos.

La combinación de publicidad y material docente ayudó a establecer el Cinco de Mayo como la primera celebración mexicoamericana. En los años ochenta, cuando el mundo empresarial estadounidense empezó a fijarse en el creciente número de consumidores hispanos y a considerar los medios de atraerlos, el Cinco de Mayo le ofreció una entrada perfecta. Muchas celebraciones fueron dirigidas por organizaciones comunitarias que acogieron con simpatía la ayuda económica para auspiciar su fiesta. A cambio de la ayuda económica, las corporaciones obtuvieron lo que querían: una mayor presencia y una imagen positiva en la colonia latina. Una vez que las campañas de mercadeo tomaron las riendas del asunto, el Cinco de Mayo se convirtió en una fiesta norteamericana.

La celebración en la actualidad

Las colonias hispanas en todo el país continúan organizando celebraciones públicas del Cinco de Mayo como instrumentos culturales y educativos. Aunque estos grupos reconocen que la fecha todavía se confunde con la del 16 de septiembre, el verdadero Día de la Independencia de México, sienten que la historia que hay detrás del Cinco de Mayo sigue teniendo una significación histórica. El hecho de que la mayoría de los norteamericanos mostraran tanta disposición para aceptar la fecha tampoco resulta perjudicial.

En el pueblo tejano de San Marcos, el Cinco de Mayo tiene gran importancia. Una agrupación cívica local ha creado un amplio cibersitio para la celebración: *www.vivacincodemayo.org.* Esta página cibernética establece vínculos con otros sitios creados por agrupaciones semejantes en todo el país. Auspiciado por el capítulo local de la Liga de Ciudadanos Latinoamericanos Unidos (cuya sigla en inglés es LULAC), el cibersitio ofrece la historia del acontecimiento, fotografías de anteriores celebraciones, un mapa de San Marcos, una lista de eventos, que incluye un menudo (una sopa hecha de tripa, maíz machacado y chile rojo) concurso de cocinera y recetas y un festival de automóviles de baja alzada (*low-riders*).

Desde este sitio, se puede buscar información sobre las celebraciones del Cinco de Mayo en San José, en universidades de todo el país, en Washington, D.C. e incluso en una compañía maderera de Oregón, J. Frank Schmidt and Son. El cibersitio dice sobre el Cinco de Mayo: "Se ha convertido en una tradición favorita en nuestra compañía. Es un día en el cual honramos a nuestros empleados laboriosos y productivos que son fundamentalmente de origen mexicano".

El evento considerado como la celebración más grande del Cinco de Mayo en todo el país es la Fiesta Broadway de AT&T en Los Ángeles, California. Establecido en 1989, este festival, de un día entero de duración, se extiende por treinta y seis manzanas en el centro de Los Ángeles y asisten a él unas 300 mil personas. Sus principales atractivos son interpretaciones musicales por bandas populares latinas no muy reconocidas, así como actividades de carácter familiar tales como talleres artísticos para niños, un centro deportivo de la Copa Mundial, y una exposición sobre el tema de la salud. Según la propaganda de la fiesta, la actividad está "dedicada a la familia trabajadora latina que espera conmemorar su herencia y tradiciones en un ambiente cultural, artístico y seguro en el famoso corredor de Broadway en el centro de Los Ángeles".

Sin embargo, el ímpetu original del evento provino del sector privado, particularmente de Univisión, la cadena nacional televisiva de habla hispana. La cadena ya había tenido éxito al apoyar el festival de la Calle Ocho en Miami y quería recrear ese tipo de actividad en Los Ángeles. Dándose cuenta de que tendría que concentrarse en representar a la colonia hispana en Los Ángeles—así como Calle Ocho, que tiene un fuerte sabor cubano, representaba a la colonia de Miami—Univisión fijó su atención en el Cinco de Mayo.

"L.A. Fiesta Broadway nació en la ciudad de Los Ángeles, que tiene la mayor población de habla hispana de los Estados Unidos. Buscábamos un evento que reconociera las ricas contribuciones que la cultura mexicoamericana ha hecho a la ciudad y que también sirviera para aglutinar a la colonia en un sentido más amplio. Creímos que la celebración del Cinco [de Mayo] podría cumplir con esos dos objetivos, porque la manera más eficiente y menos amenazante de derribar barreras es a través de la música, la comida y la cultura", explica Larry González, un antiguo empleado de Univisión y actual presidente de la compañía *All Access Entertainment*. En su momento, la cadena se acercó al entonces alcalde Tom Bradley para que el municipio se convirtiera en copatrocinador del evento. Con el apoyo del municipio, se obtuvieron permisos para cerrar calles como Broadway y custodia policial de la actividad. Aunque sigue siendo en gran medida una empresa privada, el evento necesita patrocinadores como AT&T para cubrir su presupuesto de más de un millón de dólares.

Además de sus siete escenarios musicales. L.A. Fiesta Broadway también incluye quioscos de comida que, al igual que en festivales más pequeños de otras partes del país, se reservan a recaudadores de fondos de empresas sin fines lucrativos. Por ejemplo, un año a la Escuela Secundaria Roosevelt le concedieron todas las ventas de los refrescos de soda para recaudar fondos para la escuela. El evento incluye también un elemento educativo: un concurso artístico y literario (un ensayo) en el cual todos los estudiantes de la zona son invitados a participar. En 1998, más de 15 mil estudiantes presentaron sus trabajos. Los ganadores del concurso exhiben sus obras en el festival y también reciben bonos de ahorro de los Estados Unidos.

L.A. Fiesta Broadway tiene lugar el último domingo de abril y la entrada es gratuita. Para estimular el ambiente familiar del evento, no se venden bebidas alcohólicas.

Para los planificadores de esta fiesta, como González, el Cinco de Mayo tiene un importante significado cultural para los mexicoamericanos y eso debe resultar inequívoco para cualquier evento.

"La celebración del Cinco de Mayo es en gran medida producto del movimiento chicano y fueron popularizadas por los latinos de California", opina González. "Pero también ha llegado a zonas como Nueva York y Miami, donde se ha convertido en una celebración de todos, como el Día de San Patricio. Es importante que estas colonias hispanas también entiendan la significación del Cinco de Mayo y lo que representó la batalla".

Hoy día las celebraciones del Cinco de Mayo van desde consumir comida mexicana en un restaurante local y brindar con margaritas, hasta asistir a una fiesta al aire libre, que se celebra por lo general en el corazón de un vecindario hispano. En estas fiestas vaya preparado a oír música, usualmente de mariachis o de conjuntos, presenciar danzas folklóricas, y probar deliciosas muestras de la comida mexicana. Éstas son excelentes oportunidades para las familias, ya que les ofrecen toda una variedad de actividades a los niños, desde hacer flores de papel hasta paseos de carnaval. Debido a la importancia histórica de la fecha, muchas celebraciones incluyen también un programa educativo así como discursos de funcionarios electos. Aprovechando la oportunidad del evento para exaltar el orgullo cultural, competencias tales como concursos de belleza y exhibiciones de automóviles de baja alzada (*low–riders*) se cuentan entre los entretenimientos favoritos. La noche suele concluir con un baile o un concierto.

Aunque se ha comercializado, el Cinco de Mayo aún conserva una gran significación cultural e histórica para los hispanos en los Estados Unidos y, ciertamente, también evoca el concepto de libertad política. Si usted y su familia optan por unirse a la celebración, esté consciente de que el Cinco de Mayo es mucho más que una buena excusa para una fiesta. Es también una oportunidad de reflexionar sobre el valor de la libertad y el carácter de un pueblo que supo defender a su país a pesar de luchar en desventaja.

Margaritas Cinco, sencillas

I lata de jugo de lima congelado de seis onzas	**hielo**
	sal (opcional)
4 líneas de tequila	**limas frescas**

Ésta puede ser la receta más simple para hacer margaritas, pero también es la más confiable. Llene una batidora con hielo. Añada la tequila y la lata de jugo de lima. Mézclelo todo hasta que la mayoría de los pedazos de hielo hayan quedado triturados.

Para margaritas con sal, tape un platito con sal suelta. Humedezca el borde de la copa de margarita con un papel toalla. Luego rebócelo en el plato de sal. Vierta entonces la mezcla de la margarita. Adorne cada trago con una rodaja de lima.

Verano

CELEBRACIONES A LA VIDA Y FIESTAS POLÍTICAS

Día de la Independencia de Cuba
UNA LUCHA HISTÓRICA Y PERMANENTE

Fiesta de San Juan Bautista
PATRÓN DE PUERTO RICO

Día Nacional Puertorriqueño
CELEBRACIÓN DE LA DIVERSIDAD EN LA CIUDAD

Quinceañeras, cumpleaños y bodas
LAS MAYORES CELEBRACIONES DE LA VIDA

as fiestas del verano, desde la celebración de la Independencia de Cuba hasta el Desfile Puertorriqueño, son una ocasión para que las comunidades latinas conmemoren su historia política y su realidad actual. Tres fiestas tienen lugar entre mayo y junio que celebran la herencia de dos culturas hispano-caribeñas: Cuba y Puerto Rico. Estos tres festivales: el Día de la Independencia de Cuba, la Fiesta de San Juan Bautista y el Día del Desfile Puertorriqueño traen diversiones a principios del verano a las ciudades de los Estados Unidos con segmentos importantes de población provenientes de estos países.

Cada 20 de mayo los cubanos conmemoran su indepen-

dencia de España, que ocurrió en 1902 luego de la salida de las tropas de los Estados Unidos, las cuales habían ocupado la isla desde el fin de la Guerra Hispano-Americana el 10 de diciembre de 1898. El 24 de junio es la Fiesta de San Juan Bautista, una conmemoración especial para los puertorriqueños que también celebran, el segundo domingo de junio, el Día del Desfile Nacional Puertorriqueño para hacer gala de lo orgullosos que se sienten de su herencia cultural, al margen que celebrar su "independencia". En su mayor parte, estas fiestas se celebran sólo en lugares con grandes concentraciones de cubanos y puertorriqueños, tales como Miami y Nueva York. Si tiene la oportunidad de asistir a una de ellas, aprenderá acerca de la cultura caribeña y no tan sólo de la música y de una cocina deliciosa, sino también de actividades que inducen a pensar, tales como ceremonias de premiación y misas, que

también honran, a su modo, la historia de cada isla. Las fiestas históricas y culturales como éstas ofrecen importantes pistas para entender la actitud y la perspectiva de una cultura pero además, ¡son estupendas!

El verano es también la época tradicional de las bodas, y esta sección describe las profundas raíces culturales que se encuentran detrás de tres celebraciones que los latinos en los Estados Unidos llevan a cabo con mucho entusiasmo bodas, cumpleaños y fiestas de quince, o *quinceañeras*. Al igual que con la mayoría de las otras ocasiones especiales, los latinos agregan un toque especial a estos hitos de la vida familiar. Cada vez más, los latinos de segunda y tercera generaciones adoptan elementos tradicionales de su cultura en estas celebraciones.

20 DE MAYO

Día de la Independencia de Cuba

❀ ❀ ❀

Una lucha histórica y permanente

La historia de la independencia de Cuba puede ser alegre o trágica, según el cubanoamericano con quien usted hable. Muchos exiliados de la revolución de 1959 juran que nunca regresarán a la isla hasta que el dictador Castro renuncie o se muera; lo que ocurra primero. Le corresponde a la generación más vieja de cubanoamericanos recordarles a las nuevas generaciones nacidas en las Estados Unidos cómo era la vida en Cuba. Celebrar la independencia de Cuba es un modo de hacerlo.

Aunque es un acontecimiento importante, la celebración ha perdido importancia, dice Carlos Verdecia, editor de la revista *Hispanic*. Las primeras celebraciones incluían desfiles, pero se han convertido en ceremonias de reconocimiento. "Básicamente, la actitud de los cubanos es que la independencia es un punto debatible", dice Verdecia. La conmemoración suele tomar la forma de una cena o recepción en la cual se pronuncian discursos, reconociendo que la lucha por la independencia de Cuba continúa. El atractivo de este evento se ejerce definitivamente entre los miembros del primer éxodo posrevolucionario, agrega Verdecia. "El 20 de mayo sigue siendo importante para muchos cubanos; no obstante, en el año 2002, cuando se cumple el centenario de la independencia de Cuba, las celebraciones serán más grandes". Para apreciar la fiesta es necesario conocer la historia del país.

Una lucha continua por la libertad

Después de haber llegado a las primeras tierras americanas el 12 de octubre de 1492, a Cristóbal Colón le tomó dos semanas "descubrir" Cuba. Al remontar la corriente de un río en Cuba, apunta él en sus notas: "Nunca he visto nada tan bello; los árboles se alinean junto al río, hermosos y verdes y diferentes de los nuestros, con flores y frutos cada uno según su especie, y pajaritos que cantan muy dulcemente". En ese tiempo había nativos en la isla aunque no las civilizaciones orientales que Colón esperaba encontrar. Eran guanajatabeyes, siboneyes y taínos; estos últimos descendientes del tronco arauaca. La tribu más agresiva, los caribe, que le dan nombre a la región, estaban a punto de conquistar la isla, pero los españoles llegaron antes de que esa conquista pudiera consumarse.

Al principio, Cuba sirvió como punto central desde el cual enviar expediciones al resto de América Latina. Colón se construyó una casa en la vecina isla Española (que en la actualidad comparten

Haití y Santo Domingo), y aunque España concentró sus empeños colonizadores a partir de la Española, sólo habría de pasar poco tiempo antes de que ese centro se trasladara a Cuba. No le tomó mucho a la población indígena de la Española verse diezmada, junto con la producción de oro de la isla. "España comenzó a buscar nuevas conquistas. No es extraño que pusieran los ojos, más allá del Paso de los Vientos, en Cuba", escriben James y Judith Olson en su libro, *Cuban Americans: From Trauma to Triumph* (Twayne Publishers; Nueva York, 1995). Los españoles comisionaron a Sebastián de Ocampo para explorar el resto de la isla, luego en 1508 se convirtió en el primer europeo que circunnavegó Cuba.

Puesto que el oro era mucho más abundante en México y el Perú, Cuba siguió siendo una comunidad agrícola y España comenzó a importar esclavos africanos allí en 1523. Sin embargo, el crecimiento de la población de la isla era lento. No había muchas mujeres españolas, y para el siglo XVII los españoles comenzaron a mezclarse con las indias y las africanas. Para entonces, la isla también tenía una creciente población de negros libres, ya que la producción de azúcar no era aún tan intensa como en otras partes del Caribe. Estos libertos con el tiempo llegaron a formar una buena parte de la clase trabajadora de Cuba.

El tabaco, la ganadería y la producción azucarera aumentaron, pero en el siglo XVIII la producción de esos cultivos dio un salto gigantesco gracias a las reformas económicas que introdujo en España el rey Carlos III. Éste levantó las restricciones comerciales y suprimió los monopolios locales, lo cual espoleó la economía de Cuba y también elevó la posición de la población criolla de la isla. La conciencia política del *criollo* (el español nacido en Cuba), alentada por la nueva prosperidad así como por la continua dominación de los peninsulares (los españoles) en el ejército, la Iglesia y la burocracia colonial, se aguzó aún más", escriben los Olson. Aún así, en el siglo XIX, cuando la mayoría de las colonias españolas habían comenzado a independizarse, Cuba seguía siendo leal a la Corona.

Algunos líderes latinoamericanos, tales como Joaquín Infante, José Francisco Lemus y Simón Bolívar hicieron algunos intentos para incorporar a Cuba en el movimiento revolucionario, pero muy pronto se apagaron. Esta actividad envió a algunos de los primeros cubanos exiliados a los Estados Unidos, entre ellos al presbítero Félix Varela y Morales quien, siendo diputado a Cortes en España en el momento en que Fernando VII restablece el absolutismo real, escapa a la persecución y se refugia en los Estados Unidos donde ha de vivir los últimos treinta años de su vida. La verdadera chispa revolucionaria no se convertiría en una llama hasta 1868, en una sublevación dirigida por Carlos Manuel de Céspedes, un criollo hacendado azucarero que inició la Guerra de los Diez Años al declarar la independencia de España el 10 de octubre de ese año. Esta fecha es aún una fiesta nacional en Cuba.

Aunque líderes influyentes como Ignacio Agramonte y Antonio Maceo y Grajales se sumaron a Céspedes, España terminó por prevalecer, liquidando la rebelión. Sin embargo, la semilla de la libertad ya había sido plantada. José Martí, el primero de los próceres cubanos—condenado a prisión y destierro cuando aún era un adolescente, durante esta primera guerra—continuó su campaña por la independencia, escribiendo artículos en periódicos y organizando políticamente al creciente número de cubanos emigrados. "Debido a los graves problemas económicos de Cuba durante la década de 1880 y principios de 1890, gran número de personas emigraron de la isla", escriben los Olson. " Millares de ellos se radicaron en los Estados Unidos. Entre los años cuarenta y los años noventa del siglo XIX el pensamiento separatista entre los cubanoamericanos evolucionó de un liberalismo económico, que contemplaba la anexión a los Estados Unidos, a la absoluta independencia de Cuba, que se completaba con vastos cambios sociales y económicos".

Otra fiesta nacional relacionada con la independencia de Cuba es el 24 de febrero, que conmemora la fecha de 1895 en que José Martí emitió la orden de alzamiento contra España y regresó a Cuba, apoyado por sus compatriotas y centenares de exiliados. Los rebeldes llevaron la guerra a las plantaciones de los hacendados, incendiando las cosechas. Martí murió en combate ese mismo año, pero la rebelión continuó por tres años más.

En 1898, la presencia de España en el Caribe llegó a su fin cuando el acorazado estadounidense *USS Maine* explotó en el puerto de La Habana. Aunque no quedó claro lo que causó la explosión a bordo del barco, el hundimiento de una nave de guerra norteamericana y la pérdida de 252 marinos metió a los Estados Unidos en el conflicto, convirtiendo la guerra entre cubanos y españoles en la Guerra Hispano-Americana.

Debilitada por treinta años de resistencia en Cuba y otras colonias, España capituló al cabo de unos pocos meses. Los Estados Unidos recibió jugosos dividendos por su guerra de ocho meses con España y, en el Tratado de París, que puso fin al control español en el Caribe, los Estados Unidos le pagó a España veinte millones de dólares y entró en posesión de Guam, Puerto Rico, las Filipinas y las islas Marianas. A Cuba le concedieron la independencia pero no de inmediato. Temiendo por la seguridad de los numerosos intereses norteamericanos en Cuba y preocupados por la proximidad de la isla a la Florida, los Estados Unidos ocupó Cuba entre 1898 y 1902.

La ocupación norteamericana transformó la economía de Cuba. Según los Olson, las compañías norteamericanas no dudaron en expandir sus operaciones en la isla, de manera que para 1906 eran dueñas del 20 por ciento de la tierra y del 75 por ciento de las haciendas ganaderas. El Tratado de París también garantizó los derechos de propiedad de los españoles. Los Estados Unidos in-

Acontecimientos políticos menos relevantes

La independencia es una herida abierta para muchos latinos que tienen raíces puertorriqueñas o cubanas. Desde la perspectiva puertorriqueña, lo más importante a tener en cuenta es que en realidad no tienen un día de la independencia para celebrar. Aunque el país fue liberado del dominio español, la isla pasó de un gobierno colonial, España, a un tutor político encarnado por los Estados Unidos. Puerto Rico nunca ha experimentado una verdadera autonomía política.

Con los cubanoamericanos, el asunto también es delicado. La mayoría de los cubanoamericanos no ha resuelto el concepto de independencia, en gran medida porque muchos de ellos ven su "libertad" comprometida por el control que ejerce el dictador Fidel Castro sobre su patria. Estas celebraciones no se extienden por todo el país, pero son una bendición para los dichosos residentes de las regiones donde se celebran. Para tener una muestra de comida, baile y música extraordinarios, y aprender más acerca de otra cultura, asista a alguna de estas fiestas.

fluyó también en el desarrollo político de Cuba, exigiendo la adopción de la Enmienda Platt—que le daba el derecho a intervenir en la isla en caso de inestabilidad política que pusiera en peligro los intereses de su país y el buen funcionamiento de la república—antes de que se aprobara la Constitución (de 1901). "Así comenzó la ocupación norteamericana de la ex colonia española, un período difícil y complejo de transición durante el cual la mayoría de los cubanos temía que su búsqueda de la soberanía se viese comprometida por los designios imperialistas del 'Coloso del Norte'", escribe Miguel González-Pando en *The Cuban Americans* (Greenwood Press: Westport, Connecticut, 1998).

Pero el 20 de mayo de 1902, la ocupación de los Estados Unidos terminó y la isla eligió a su primer presidente, Don Tomás Estrada Palma. La intromisión estadounidense en la isla, en particular su apoyo al dictador Fulgencio Batista, conduciría finalmente a la fatídica revolución de Cuba más de cincuenta años después. Al triunfo de esta revolución en 1959, Fidel Castro se instaló como el nuevo dictador del país.

Fiesta de San Juan Bautista

❀ ❀ ❀

Patrón de Puerto Rico

La fiesta de San Juan Bautista es una celebración nacional en Puerto Rico, aunque no se reconoce como día feriado. Considerando la fecha en que la celebración tiene lugar, nadie debería tener que trabajar al día siguiente. Prácticamente en masa, el pueblo entero se dirige a la playa a la medianoche o un poco antes para la celebración de San Juan Bautista. En verdad hay una atmósfera de fiesta, pero también una seriedad ritual. Los bañistas entran al océano andando de espaldas y salen del agua por lo menos tres veces. Esta acción puede simbolizar un renacer, pero la gente de la localidad cree que tiene más que ver con el exorcismo del mal o de las energías negativas. La celebración no se practica exclusivamente en la isla. Ha migrado a través del Atlántico y también la celebraban, en el pasado, los puertorriqueños de Nueva York, o *nuyoricans,* en la isla de Randall en El Bronx, y en la actualidad, en el Parque Central.

¿Quién fue Juan el Bautista?

San Juan tiene una historia trágica en los Evangelios. Juan el Bautista era primo de Jesucristo. Nació seis meses antes que Cristo, el 24 de junio, que es el día de su fiesta. Su nacimiento fue casi un milagro, porque su madre, Santa Isabel, nunca había tenido hijos y se suponía que fuese estéril. Ella dio a luz a Juan luego de haber entrado en la menopausia. Cuando creció, Juan se convirtió en un profeta que anunciaba la llegada de su primo. Popularizó la práctica de bautizar a sus seguidores sumergiéndolos en agua, y así bautizó a Jesús en el río Jordán. Sin embargo, se granjeo la enemistad del rey Herodes [Antipas] su mujer, Herodías, cuando criticó al rey por casarse con la mujer de su hermano mientras éste aún vivía. Herodes celebraba una gran fiesta en la cual su sobrina, Salomé, bailó "una danza muy alegre". Herodes quedó tan complacido por su actuación que le dijo a Salomé que podía pedirle cualquier cosa. Luego de consultar con su madre, ella le pidió la cabeza de Juan el Bautista. El rey le concedió su deseo, presentándole la cabeza del Bautista en una bandeja.

Cuando Cristóbal Colón desembarcó en la isla que ahora se llama Puerto Rico, encontró que las riquezas del puerto al que llegaba tenían alguna relación con Juan el Bautista y bautizó la isla como San Juan Bautista de Puerto Rico. El porqué exactamente escogió este nombre puede ser más asunto de hábito que de inspiración. La Iglesia Católica dominaba en España y no tardaría en dominar las colonias españolas de América. El padre Miguel Meléndez de la parroquia de San Miguel en Flushing, Nueva York, y profesor adjunto de la universidad Saint John's University opina: "Era la costumbre darles nombres de santos a los lugares descubiertos por los exploradores españoles. Uno ve cómo se cumple este criterio a través de toda América Latina". Ciertamente, en Puerto Rico, cada pueblo presume de tener un santo patrón, y las celebraciones de las festividades de los santos son comunes.

El simbolismo de sumergirse en el agua puede resultar obvio para la mayoría de los católicos como una representación directa del bautismo. Desde 1955, los puertorriqueños de Nueva York han celebrado su propia versión del festival de San Juan Bautista. El festival comienza a las diez de la mañana y dura hasta las seis de la tarde, en el parque Dewitt Clinton, entre las calles 52 y 54. A la una en punto, una procesión que lleva una imagen del santo se dirige al encuentro del arzobispo para recibir la bendición. Y a esto sigue una misa. Después, hay una ceremonia de premiación en la cual le imponen el medallón de Juan el Bautista a algún notable líder de la colonia hispana. Una vez que se ha cumplido con las formalidades, comienza la fiesta, repleta de música, baile y comida de la isla.

La historia de Puerto Rico

Cristóbal Colón llegó a la isla en su segundo viaje a América en 1493. Al igual que la isla de la Española, donde primero estableció una colonia, una población nativa habitaba la isla. En el caso de Puerto Rico, este grupo era un pueblo amable conocido como taínos, una comunidad agrícola que les opuso poca resistencia a los invasores españoles que siguieron. Los taínos no estaban equipados para resistir físicamente la invasión. La población indígena se redujo rápidamente, diezmada por el trabajo esclavo y las enfermedades. Esta rápida disminución de los taínos llevó a los españoles a introducir esclavos africanos en la mezcla diversa del Caribe.

Quince años después del primer desembarco de Colón, Puerto Rico fue colonizada por Juan Ponce de León, quien también llamó el lugar San Juan Bautista y a la ciudad capital Puerto Rico. Con el tiempo los nombres se invirtieron—San Juan se convirtió en la capital y Puerto Rico pasó a ser el nombre de la isla.

España mantuvo un férreo control de la isla aun después de que sus limitados depósitos de oro se hubieran agotado. Puerto Rico llegó a ser importante por su clima, que producía prolíficas empresas agrícolas. En 1522, el rey de España se empezó a preocupar de que la isla pudiera caer en manos de los británicos, y en consecuencia ordenó la construcción de varias fortalezas estratégicas para defenderla de una invasión. La mayor de estas fortalezas españolas es el Castillo del Morro, que mira al océano y protege la ciudad de San Juan.

Puerto Rico y Cuba permanecieron bajo el dominio español hasta fines del siglo XIX. En efecto, ambos países fueron las últimas colonias que conservó España en el Nuevo Mundo. A fin de mantener su control de las dos islas, España les concedió una creciente autonomía y representación en el parlamento español. Esta autonomía fue concedida muy tardíamente. En el caso de Cuba, la modesta reforma política se aplicó en 1897 después de la devastadora campaña de tierra arrasada llevada a cabo por el capitán general Valeriano Weyler. Si el gobierno español hubiera aplicado esta política a tiempo, los cubanos no hubieran optado por la vía armada que terminó arruinando al país. En Puerto Rico hubo una sublevación en 1868, conocida como *El Grito de Lares,* pero fue de corta duración. Un año antes de perder sus colonias en la guerra con los Estados Unidos, España promulgó una Carta de Autonomía, en la que le concedía a la isla el derecho al autogobierno con sus propios partidos políticos y sus funcionarios electos. Ese autogobierno no le sería devuelto a la isla por casi un siglo.

El 25 de julio de 1898, las tropas norteamericanas desembarcaron en la isla, arriaron la bandera española y obligaron a España a rendir la isla a los Estados Unidos. Cuarenta y cuatro años después, el 25 de julio de 1952, el gobernador Luis Muñoz Marín proclamó que la isla era el Estado Libre Asociado de Puerto Rico (Commonwealth of Puerto Rico), y los votantes respondieron reeligiéndolo por una abrumadora mayoría en su primera elección general bajo el nuevo estatuto. De manera que el 25 de julio se celebra en Puerto Rico el Día de la Constitución, pero no el día de la independencia. En efecto, sería mejor disociar completamente de la isla la palabra "independencia".

Habitada por más de tres millones de personas cuya primera lengua es el español, la isla no puede llamarse un país soberano, ni siquiera un estado. Cedida a los Estados Unidos al término de la Guerra Hispano-Americana, por el Tratado de París, el 10 de diciembre de 1898, Puerto Rico no se convirtió en Estado Libre Asociado hasta 53 años después, cuando los puertorriqueños aprobaron un referendo que les daba el derecho a redactar su propia constitución.

La independencia todavía elude al país, de manera que el 25 de julio en Puerto Rico se conmemora de manera diferente en dependencia de la tendencia política del individuo. Para algunos, es un día de protesta contra la situación actual y la falta de independencia de la isla. Para otros, es un día de celebración y reconocimiento de la relación simbiótica que existe entre Puerto Rico y los Estados Unidos.

Día Nacional Puertorriqueño

❋ ❋ ❋

Celebración de la diversidad en la ciudad

Cuando Puerto Rico se convirtió en propiedad de los Estados Unidos, la transición distó de ser sin traumas. La isla compartía un idioma y una cultura con España, pero tenía poco en común con el modo norteamericano de hacer las cosas. Durante los primeros cuarenta años, los líderes de los Estados Unidos abordaron el gobierno de Puerto Rico como un proyecto de "americanización". Esto se basaba en gran medida en la creencia de que los puertorriqueños tenían que ser asimilados en el idioma, cultura y valores de los Estados Unidos a fin de prepararse para la autonomía. La imposición del inglés como el único idioma de la instrucción resultó un rotundo fracaso y tuvo que ser revocada en los años cuarenta.

La política paternalista empleada hacia la isla por los Estados Unidos no fue bien recibida por el pueblo. La primera concesión hecha por los Estados Unidos para apaciguar a los isleños fue la Ley Jones de 1917. Firmada por el presidente Woodrow Wilson, la ley concedía la ciudadanía norteamericana a los puertorriqueños, pero también les exigía que sirvieran en las Fuerzas Armadas, para las cuales los necesitaban durante la Primera Guerra Mundial. La autonomía se expandió en la isla con la Ley Jones, que estableció un senado electo popularmente en Puerto Rico en oposición a la ya existente Cámara de Representantes.

Con los Estados Unidos distraído por dos guerras mundiales, la política y las doctrinas puertorriqueñas comenzaron a surgir. En la actualidad el debate se centra en tres posibilidades: total independencia, estadidad, o prolongación del *status quo*. Aunque este debate puede que nunca llegue a resolverse, siempre habrá una fuerte conexión entre Puerto Rico y Nueva York. Los puertorriqueños en los Estados Unidos necesitaban un festival para celebrar su cultura y su isla. La respuesta a esta necesidad fue el desfile del Día Nacional Puertorriqueño.

Comenzó en la ciudad de Nueva York en 1957 con el nombre de Desfile del Día Puertorriqueño de Nueva York, que al principio recorría unas pocas cuadras en Manhattan. En 1995, se convirtió en el Desfile del Día Nacional Puertorriqueño, con la participación de delegados nacionales, y ahora se extiende por unas cinco millas y dura seis horas: un impresionante mar de rojo, blanco y azul creado por los millones de banderas puertorriqueñas que agitan los espectadores. El desfile suele celebrarse el segundo domingo de junio. En ese día, los *nuyoricans* se vuelven los mayores abanderados del mundo. La bandera puertorriqueña está en todas partes: en las camisetas, pintada en partes del cuerpo, y prendida a cualquier cosa y a todo.

Según el censo de 1990, 3,8 millones de personas estaban viviendo en la isla, y 2,6 millones de *nuyoricans* vivían en Nueva York. Estas cifras han crecido en la última década y la asistencia al desfile también aumenta cada año. Además atrae a personas de otras culturas. En 1999, dos millones de personas disfrutaron del desfile. Además de sus cien carrozas, los vendedores ambulantes que se encuentran junto a las aceras le ofrecen para su disfrute maravillosos platos puertorriqueños como arroz con gandules, tosto-

Tostones y mojo tradicionales

Ninguna celebración caribeña está completa sin probar esos bocadillos deliciosos que les llaman *tostones*. La primera cosa que debe saber un parrandero, especialmente los que no conocen el plato, es que aunque el elemento básico del tostón, el plátano, es un primo de la banana, los tostones no deben confundirse con un postre similar, la banana frita. El tostón es un bocadillo salado que suele acompañarse con una tradicional salsa de ajo llamada mojo. Las siguientes recetas son tan simples y tan sabrosas que los tostones se convertirán en un plato preferido de su fiesta.

Tostones (plátanos verdes fritos)

3 plátanos verdes   **sal (opcional)**
2 tazas de aceite

Pele los plátanos y córtelos en rodajas de aproximadamente una pulgada de espesor. Caliente el aceite en una sartén a 375 grados. No deje que el aceite se caliente tanto que humee. Ponga las rodajas de plátano en el aceite lo suficiente para que se doren. Manténgase atenta. Con una espumadera, saque las rodajas.

(continúa)

Valiéndose de un mallete de madera o de un utensilio semejante, aplaste las rodajas. Luego, vuélvalas a freír de tres a cinco minutos más. Sáquelas del aceite, escúrralas en toallas de papel y espolvoréeles sal a gusto.

Mojo

4 dientes de ajo
1 taza de aceite de oliva

una pizca de sal

En un mortero, triture los dientes de ajo pelados. Páselos a un tazoncito y agrégueles aceite y sal. Mézclelo todo bien.

Guárdelo en la nevera desde la noche antes y sírvalo como una salsa fría para los tostones.

nes y pasteles. Los deleites del oído también son irresistibles, especialmente la bomba y la plena, con unos pocos merengues añadidos para darle mayor sabor.

Quinceañeras, cumpleaños y bodas

❊ ❊ ❊

Las mayores celebraciones de la vida

FIESTAS DE INICIACIÓN

Es algo privativo de los seres humanos marcar los diferentes hitos de la vida con algún tipo de ceremonia. Celebrar un cumpleaños o un matrimonio, u honrar la vida de una persona una vez que termina son necesidades humanas universales. Las ceremonias asociadas con los cambios de vida difieren de una cultura a otra, y para los hispanos, la manera de abordar las importantes transiciones de la vida tales como, cumpleaños, mayoría de edad y matrimonio, conlleva a ciertas costumbres peculiares.

Todo comienza con el cumpleaños. Para los niños, los cumple-

años— al igual que la Navidad— parecen acontecimientos mági-
cos. Los padres a veces se exceden al planear las fiestas de cumpleaños de sus hijos. En los Estados Unidos, las fiestas de cumpleaños
exigen un pastel de cumpleaños, regalos y juegos. Los latinos le
añaden a estos ingredientes la siempre popular piñata. El origen de
esta juego puede resultar una sorpresa.

Cumplir quince años no es la única celebración del viaje a través de la vida. Hay graduaciones y nuevos empleos por los cuales
brindar. La próxima gran celebración, sin embargo, es la boda. Para
algunas parejas, casarse puede ser uno de los acontecimientos más
importantes de sus vidas, que sólo le cede el lugar al de convertirse
en padres. En consecuencia, una boda puede ofrecer la oportunidad de celebrar la mayor de las fiestas imaginables. Las bodas hispanas pueden ser bastante extravagantes, y también apelan a
tradiciones muy singulares durante la ceremonia y la recepción.

Celebrar la vida conlleva reconocer los hitos que hacen a todo
el mundo una persona única. Muchas tradiciones latinas, como la
piñata, ya han sido incorporadas en estas festividades. Existen aún
otras costumbres, de la quinceañera a la danza del dólar en las
bodas, que tienen su propio y particular atractivo.

¡Feliz cumpleaños!

Los niños esperan ansiosos los cumpleaños, y estas celebraciones
especiales sólo ceden el puesto a la entrega de regalos en Navidad.
En torno a las celebraciones de cumpleaños, existen muchas costumbres, tales como el pastel, las velas, el helado y el canto de esa
difícil melodía que es "Happy Birthday". La canción tradicional de
cumpleaños en México, "Las mañanitas" es un poquito más meló-
dica. Las fiestas de cumpleaños en los Estados Unidos pueden ser
muy extravagantes, con la participación de payasos y magos alqui-
lados. Los padres también pueden optar por hacer la fiesta fuera de

¿Dónde se originó la piñata?

Aunque en México no se usa solamente para las fiestas de cumpleaños—en verdad tiene más que ver con una tradición navideña—la piñata se abrió paso en los Estados Unidos a través de las celebraciones de cumpleaños. El origen de la cesta de *papier mâché* no está claro. Algunos escritores lo remontan a la época de los aztecas, mientras que otros le atribuyen un origen europeo, a partir de los tiestos de cerámica llenos de obsequios que se rompían en las fiestas italianas del siglo XVI y que se llamaban *pignatta*. La teoría europea agrega que la *pignatta* resultó una costumbre atractiva para los españoles, que la importaron a América, donde su popularidad se expandió.

El cumpleaños más significativo para las muchachas, especialmente en las familias hispanas, tiene lugar a los quince años. La idea de celebrar la mayoría de edad no es cosa nueva. Las sociedades de todo el mundo señalan el tránsito de la adolescencia a la adultez con rituales previstos. A diferencia de un debut, los latinos hacen una fiesta a la que llaman quinceañera; pero, al igual que el debut, la fiesta de la quinceañera también es importante para los padres. Los preparativos tanto de los padres como de la debutante para esta celebración pueden rivalizar con la mayoría de las bodas.

la casa, en un restaurante especializado en fiestas de cumpleaños para niños.

Los juegos de las fiestas también han cambiado. Ponerle la cola al burro solía ser inevitable en una fiesta de cumpleaños, pero ha sido reemplazado por el juego mexicano de la piñata. Las reglas básicas de ambos juegos son semejantes: a los niños se les asigna una tarea sencilla, pero para realizarla deben tener los ojos vendados. El objeto del juego de la piñata es romperla para lograr apoderarse de los caramelos que tiene adentro. La piñata usualmente está suspendida de la rama de un árbol—este pasatiempo debe jugarse afuera—con alguien que la cambie de posición subiendo o bajando una cuerda. Al niño se le vendan los ojos y luego se le hace girar lentamente para aumentar su desorientación. Toma tiempo romper la piñata, pero una vez que vacía su tesoro, los niños corren a recoger los regalos.

No se sabe exactamente cuándo la piñata se hizo popular en los Estados Unidos. "La gente solía creer que era una cosa hispana, una cosa cultural. Ahora es parte de la fiesta", dice Jessica Vargas empleada de *Party Star*, en un artículo publicado en *Los Ángeles Sentinel* el 22 de septiembre de 1994. *Party Star* es una compañía que tiene su casa matriz en Anaheim, California, y es uno de los mayores proveedores de piñatas en los Estados Unidos. Es propiedad de tres hermanos, todos nativos de Costa Rica: Juan y Oscar Vargas, y Aurora Dixon. Dixon comenzó a hacer piñatas en su propio garaje para las fiestas de sus hijos. Una vez que los vecinos las vieron, todo el mundo las quería. Como la demanda de sus piñatas aumentó, su hermano Oscar la convenció de que abriera una tienda.

En su libro *Mexican Crafts and Craftspeople* (Associated University Press: Cranbury, Nueva Jersey, 1987), la autora, Marian Harvey, arguye que la piñata puede haber sido una herencia italiana, azteca o española, pero los más fervientes promotores de la piñata fueron los españoles.

Aunque se reconoce como un juego de niños, Harvey dice que la piñata originalmente era para adultos. En los tiempos coloniales, la piñata se llenaba de alhajas en lugar de caramelos y era rota por hombres y mujeres más que por niños. Harvey afirma que la raíz de la palabra misma es española, no italiana como parecería,

El poder de una joven

Es una celebración que le recuerda a todos el brillante y prometedor futuro de una muchacha. Reconoce sus primeros éxitos y le hacer saber que ella es singular y que es amada. ¿Qué podría ser tan afirmativo? La fiesta latina para las chicas que alcanzan su mayoría de edad, llamada *la quinceañera,* la fiesta de quince o, simplemente, los quince. El nombre se deriva de los quince años que cumple la muchacha. La palabra se usa tanto para nombrar el evento como para la debutante misma. También se le llama la fiesta rosada, porque el color rosa simboliza a la joven que se está convirtiendo en mujer.

La quinceañera es una de las pocas fiestas latinas universales. Los mexicoamericanos, puertorriqueños y cubanoamericanos celebran la quinceañera en gran medida de la misma manera que se celebraba antaño. Las familias aún se preparan durante meses para la celebración, que está marcada por un elemento espiritual tanto como social.

derivándose del término *apiñar*, que significa amontonarse, y de *piña,* que significa una reunión de flores o de frutos. Dice Harvey: "Ni la piñata, ni nada parecido, se conoce que haya existido en México antes de la conquista. El papel, como sabemos, fue traído por los españoles, lo cual le hace creer a uno que también la piñata vino de España".

Piñata redonda sencilla

Para hacer esta piñata de un globo de colores usted necesita los siguientes elementos:

I globo grande
Varios pliegos de papel de
seda de colores brillantes

Periódicos
Agua y harina para hacer
la goma

Otras formas pueden agregarse a la piñata de pelota redonda, pero la bola formada por el globo será el núcleo que proporciona el receptáculo para los caramelos y los premios.

El material básico de la piñata moderna es el *papier mâché*. Infle un globo redondo tanto como pueda. Corte tiras de papel periódico. Mezcle la harina y el agua (un tercio de harina y dos tercios de agua) para hacer una pasta gomosa. Moje las tiras de periódico una a una en la pasta, luego péguelas sobre el globo. Ésta es la técnica básica del *papier mâché*.

Siga pegando capas de tiras engomadas de periódico alrededor del globo hasta que esté completamente cubierto. No cubra el nudo del globo; por el contrario, manténgalo descubierto y déjele un pequeño agujero. Esta apertura servirá para llenar la piñata de caramelos. Deje que cada capa de *papier mâché* se seque. Póngale por lo menos seis capas.

(continúa)

Después de que el papier mâché se seque, tome el papel de seda y córtelo en tiras de dos pulgadas de ancho y de distintas longitudes. Las tiras deben ser lo bastante largas para envolver la bola de papier mâché. Corte un borde de las tiras para crear una fleco, y rice el fleco pasándole un objeto cilíndrico. Para hacer el rizo muy crespo utilice una pluma o un lápiz. Pegue cada tira, una por una, a la bola. Podría pintar el *papier mâché* para cubrir los impresos del periódico, o simplemente colocar tan juntas las tiras de papel de seda torcidas que cubran completamente el papel de periódico. Cree un diseño de color con el papel de seda.

Luego de que el globo esté cubierto con el papel de seda de colores, hágalo estallar, y rellene de caramelos, confetis y premios el espacio circular que ocupaba el globo. Agregue una pieza de madera o de alambre a esta apertura, que se usará para ayudar a suspender la piñata. Cierre la apertura con cinta adhesiva y enmascare el cierre con papel de seda. Entonces, ¡deje que empiece el juego!

Las piñatas sí existen en toda Latinoamérica, pero las versiones de *papier mâché* fueron diseñadas en México. En la actualidad, la ciudad de Tijuana, en México, es considerada la capital de la piñata del mundo.

DULCES QUINCE—LA QUINCEAÑERA

La necesidad de reconocer la transición entre la infancia y la adultez es universal. Las civilizaciones a lo largo de los siglos han establecido ritos de iniciación tanto para los varones como para las hembras. Para las mujeres jóvenes en los Estados Unidos, ese acontecimiento se destaca a menudo a los dieciséis años de edad, con las fiestas llamadas de "los dulces dieciséis" o debuts. Esta práctica fue promovida en el Sur durante el siglo XIX con el baile de debutantes. Un evento semejante es la celebración judía de los trece años con el *bar mitzvah* para los varones, y de los doce años con el *bat mitzvah* para las chicas.

Las fiestas de presentación en sociedad se cree que llegaron al Nuevo Mundo durante la ocupación francesa de México en el siglo XIX, pero las raíces de la quinceañera son mucho más profundas que eso. En su libro *Quinceañera* (Henry Holt and Company: Nueva York, 1997) la autora Michele Salcedo explica: "Los comienzos [de la quinceañera] van mucho más atrás, se remontan a miles de años, a los pueblos indígenas de nuestras respectivas culturas. Los taínos y los arahuacas, los quechuas y los toltecas, los aztecas y los mayas, para nombrar unos pocos, todos tenían ritos de iniciación para señalar el momento en la vida de una niña en que ya dejaba de ser niña para hacer su contribución a la sociedad como una adulta".

Según Mark Francis y Arturo J. Pérez-Rodríguez en el libro *Primero Dios: Hispanic Liturgical Resource* (Liturgy Training Publications: Chicago, 1997), tanto los varones como las hembras participaban en esos ritos de iniciación, pero sólo ha sobrevivido la celebración para las niñas. Como parte de la preparación, las muchachas eran separadas a los quince años de sus compañeras de juego para ser instruidas en su importancia para la comunidad hispana y en sus futuros papeles como mujeres y madres. "Durante el rito, en sus orígenes, se les daba gracias a los dioses por las vidas de estas futuras madres, y las jóvenes se comprometían a cumplir sus papeles de servicio a la comunidad", escriben los autores. "La quinceañera fue gradualmente cristianizada por los misioneros para resaltar la afirmación personal de fe de la joven y su decisión de llegar a ser una buena esposa y madre cristiana. Luego llegó a ser común celebrarla en la iglesia, aunque aparte de la misa".

Sin embargo, a diferencia de muchas tradiciones latinas, la quinceañera tiende a ser puesta en práctica por otras religiones, además de la católica. La significación social de la quinceañera puede ser lo que más llama la atención. Tiene una gran semejanza con muchas bodas, salvo que en este caso la "novia" viste de rosado. El color rosado simboliza la mayoría de edad de la muchacha, pero el énfasis, preferiblemente, se pone en la madurez de la joven más que en su sexualidad. En muchas quinceañeras, el evento comienza con la misa, pero esto no es siempre el caso. Debido a lo mucho que les cuesta el acontecimiento a los padres—un promedio de diez mil dólares—algunas iglesias desalientan a sus miembros de adoptar la tradición. A fin de abaratar los costos, las familias a veces solicitan el apoyo de "padrinos" para cubrir gastos específicos, desde el vestido hasta el costo de una banda para la recepción. Esta costumbre también se practica en las bodas.

La quinceañera escoge a varias de sus amigas para que sean sus damas, lo que se conoce como la Corte de Honor. Estas muchachas—que suelen ser catorce para representar los años anteriores de la debutante—abren la procesión, acompañadas de sus parejas. Los padres por lo general siguen a estas parejas, precediendo a su hija. La quinceañera puede tener un compañero, usualmente un hermano, un primo, o un amigo; pero algunas escogen hacerse acompañar de sus padres.

Existen también interesantes variaciones en la celebración. Según Salcedo, la mayoría de las familias cubanas omiten el oficio en la iglesia, mientras las familias mexicoamericanas casi siempre lo incluyen. El oficio puede ser una simple oración de bendición del cura, o una misa completa. Los puertorriqueños, por lo general, también optan por la misa, que culmina con la madre de la quinceañera poniéndole una tiara a su hija y el padre reemplazándole los zapatos bajos por unos de tacones altos.

Pese al alto costo de la ceremonia, muchos padres ven las celebraciones de la quinceañera como una buena inversión. Lo refuerza el hecho de que su hija se espera que asuma una mayor responsabilidad, y ese símbolo no pasa inadvertido para la muchacha. "No es por jactancia, pero mi hija es única en un montón de cosas", dice Mary Méndez, la madre de Brandy, que celebró su quinceañera en 1994. La fiesta de Brandy se reseñó en un artículo del periódico *New Times* (edición del 1–21 de junio) de Phoenix, Arizona. "Creo que la quinceañera es algo bueno. La mitad de lo que anda mal con los chicos hoy día es que no piensan en su futuro".

BODAS CON DETALLES LATINOS

El curso de una vida está marcado por transiciones. La mayoría son pequeñas y pasan inadvertidas, pero para los pasos más grandes e importantes se han desarrollado rituales y costumbres a fin de señalar estas ocasiones. Para muchos el matrimonio se cuenta, ciertamente, entre los tres cambios más importantes de la vida. En el pasado, el matrimonio significaba que dos individuos dejarían el hogar de sus padres y construirían una vida juntos. En la actualidad, más parejas ya ha se han establecido en carreras y pueden ya haber comenzado a vivir juntos. Pero la significación de declararse públicamente comprometido con otra persona para toda la vida sigue siendo importante. En consecuencia, el casarse sigue rodeado aún de numerosas tradiciones, que comienzan con la sencilla pregunta: ¿Te casarás conmigo?.

Además de la ceremonia misma, muchas tradiciones de bodas provienen de la superstición, al objeto de traerle buena suerte a los recién casados. En la actualidad, aún se conservan muchas supersticiones, tales como la de que el novio no vea a la novia antes de la boda, o la de arrojar arroz como símbolo de la fertilidad. Otras tradiciones surgieron porque simbolizaban algo que venía a complementar la creencia en la santidad del matrimonio. El anillo de boda data de la antigüedad, pero todavía existe hoy día como parte integrante de la ceremonia de boda porque su forma simboliza la unión de dos personas y la esperanza de un amor sin término.

Las bodas latinas reflejan la fe religiosa de la pareja. La ceremonia católica es bastante parecida a otras ceremonias católicas. Pero los latinos sí agregan algunos toques únicos, comenzando con la palabra en español: boda. Durante una boda latina, los asistentes pueden advertir tres componentes adicionales: las arras (o monedas), el lazo (o vínculo) y el velo o mantilla.

El Instituto Nacional de Liturgia Hispana investigó las tradiciones y costumbres nupciales de los latinos y publicó sus hallazgos en un libro titulado *Gift and Promise: Customs and Traditions in Hispanic Rites of Marriage* (Oregon Catholic Press: Portland, 1997). El libro confirma que si bien muchas costumbres hispanas tales como las arras fueron traídas por los españoles, también se arraigan en un antiguo rito ibérico, llamado el Rito Mozárabe, que alude a los rituales celebrados por los cristianos que vivían en la España ocupada por los moros entre los años 711 y 1492. El rito mozárabe fue suprimido por el papa Gregorio VII en el año 1080 y no fue restablecido hasta 1988, veinte años después del Concilio Vaticano II. Por consiguiente, las arras, al igual que muchas tradiciones comenzaron como una costumbre social antes de llegar a formar parte de la celebración "sacramental".

En el rito antiguo, las arras pueden haber sido los predecesores del intercambio de los anillos matrimoniales, pues fue a partir de este rito que surgió finamente el de los anillos. Había cuatro fases en el rito del matrimonio mozárabe: la bendición de la cámara nupcial, la celebración de vísperas, la bendición de las arras, y la bendición de la pareja. El nombre arras proviene de la frase latina para el intercambio de los votos, que era *ordo arrarum* (orden de los votos). En la ceremonia, un anillo o símbolo del voto se intercambiaba entre los contrayentes. El voto entre el hombre y la mujer quedaba sellado con este cambio. Según el libro, "aunque no resulta claro qué exactamente se daba como símbolo durante el primer milenio, las arras hoy en día consisten en un cofrecito que contiene trece monedas doradas o plateadas del tamaño o la denominación más pequeña. La llamada 'docena de fraile' simboliza la prosperidad". Aunque los anillos reemplazaron a las arras como el símbolo de los votos, en las ceremonias latinas actuales, tanto los anillos como las arras se bendicen y se intercambian después de los votos conyugales.

Testimonios del primer lazo también se remonta a la antigüedad. Una de las fuentes citadas por el Instituto Nacional de la Liturgia Hispana es Isidoro de Sevilla, que escribió *De ecclesiasticis officiis* en el siglo VII. En este libro, el autor dejaba establecida por escrito la organización de la Iglesia española. Según Isidoro de Sevilla, durante la ceremonia del matrimonio, la pareja lleva una *vitta*, o guirnalda. La *vitta* era blanca y púrpura, como símbolo de la pureza y la procreación. La pareja la llevaba sobre los hombros. Siglos después se colocaba un yugo entre el novio y la novia, para vincular la pareja durante la bendición nupcial.

Existe también una raíz indígena para el lazo. En ceremonias mesoamericanas, la pareja se sentaba en esterillas separadas, pero cuando se proclamaban los votos o la unión oficial, las borlas de las esterillas se ataban, para significar la unión. Posteriormente, los aztecas ataban el manto del novio al vestido de la novia como señal del matrimonio. En la actualidad, el lazo es mucho más un ornamento. Usualmente adornado con perlas falsas, con dos vueltas que pasan por encima del novio y de la novia. El lazo puede ser también un rosario de doble vuelta con la cruz colgando en el medio, y algunos lazos hasta son hechos de flores frescas.

Otra antigua costumbre que se ha penetrado en todas las ceremonias nupciales es el velo o mantilla. En el ritual antiguo, la novia le ofrecía su mano al celebrante (el cura) luego de intercambiar los votos. El cura le impartía luego a la pareja la bendición de los recién casados. Ellos estaban cubiertos con un velo, la novia completamente y el novio sólo por encima de los hombros. El uso del velo es antiguo, dice el Instituto: "Las novias romanas aparecían enteramente cubiertas por un velo rojo, el *flameum*, que servía como símbolo de la pureza y de protección contra los malos espíritus. Esto de seguro influyó en la costumbre española".

En la actualidad la novia lleva el velo más como un símbolo de virginidad cuando entra en la iglesia. La intención original de la costumbre reaparece en las ceremonias latinas cuando el lazo se usaba para sostener parte del velo de la novia sobre los hombros del novio. Otras ceremonias latinas usan una mantilla separada en lugar de un lazo durante la ceremonia—más bien que el velo de la novia—para echársela por encima de los hombros de ambos contrayentes.

Existen muchos otros componentes de la ceremonia, entre ellos cojines para el novio y la novia, así como un rosario. Para las novias puertorriqueñas, el azahar es una flor esencial y los novios cubanos siguen la tradición española de llevar la alianza matrimonial en el dedo anular derecho en lugar de en el izquierdo [como es más usual aquí]. Cada elemento acarrea un cierto costo, de manera que los hispanos cuentan con el apoyo de sus familiares y amigos—así como hacen con la quinceañera—y les piden que asuman el papel de padrinos. Varios padrinos pueden participar en una boda si compran diferentes artículos, desde el lazo hasta la banda que toca en la recepción. El apoyo de los padrinos usualmente aparece en la invitación al matrimonio.

Aún más usanzas existen en la recepción. Las bodas latinas incluyen un baile donde se toca música tradicional, y algunas añaden "el baile del dólar" en el cual los invitados hacen cola para comprar una pieza de baile con la novia o el novio. La pareja suele usar el dinero recaudado en la luna de miel. En las mesas se colocan recuerdos de la boda para cada invitado, desde chocolates hasta baratijas. Otra tradición se llama la *capia*, que es una cinta con los nombres impresos de la novia y del novio, para cada uno de los invitados.

No todos los latinos se suscriben a todos los elementos tradicionales en sus bodas. Muchas parejas hoy día tienden a elegir entre ellos. Al planear su matrimonio, Rochelle Herrera y Gustavo González discutieron sobre los elementos tradicionales como el lazo, los cojines y las arras. De todos ellos sólo escogieron las arras para incorporarlas a la ceremonia. Rochelle y Gustavo no sentían la necesidad de incorporar la tradición del padrino. Prefirieron mantener la ceremonia sencilla y no obligar a sus familiares a ayudarlos a pagar la boda. Las arras, sin embargo, eran importantes para la novia. "Mi madre había guardado las arras—trece reales de plata—desde que yo era una niña; las considera como una suerte de dote. Utilizó algunas para la boda de mi hermana, e incluso tiene guardadas otras para mi hermano", dice Herrera. "También me gusta que sea yo quien se las está ofreciendo a Gus, en lugar de que él me las ofrezca y eso parece decir: 'Lo que es tuyo es mío, y lo que es mío es tuyo' ".

Cualesquiera que sean las opciones que los hispanos hagan, desde la piñata en las fiestas de cumpleaños, hasta las tradiciones nupciales del lazo y las arras, pasando por las quinceañeras, estos rituales ayudan a marcar la senda futura de la vida, en tanto se concentran en las alegrías del presente. ¡Felicidades!

Otoño

Los ancestros y la patria

✿ ✿ ✿

Dieciséis

Un triunfo sobre la tiranía

Fiesta de Nuestra Señora de la Divina Providencia

Veneración de una Virgen caribeña

Fiesta de Nuestra Señora de la Caridad del Cobre

La Virgen del Cobre

Día de la Raza

La contraparte del Día de la Hispanidad o de Colón

Día de los Muertos

Celebrando la muerte y la vida

l otoño trae un clima más fresco y es temporada para reflexionar y recordar. Sea o no una coincidencia, muchas fiestas latinas que se celebran en el otoño se remontan a una historia primitiva y al ancestro indígena. Muchas de las fiestas otoñales tienen que ver con la historia y con la patria.

El dieciséis de septiembre, el aniversario en que México se librara del dominio español, los mexicanos celebran su Día de la Independencia, en tanto a los mexicoamericanos se les incentivan la nostalgia y el orgullo por su patria. En los Estados Unidos, el Dieciséis se ha convertido en una gigantesca celebración en muchas ciudades del país.

En septiembre y en noviembre dos festividades importantes en honor de prominentes versiones de la Virgen María le permiten a los latinos celebrar sus vínculos religiosos y culturales. Los cubanos honran a su patrona, Nuestra Señora de la Caridad del Cobre, el 8 de septiembre; y los puertorriqueños combinan la celebración del descubrimiento de la isla con el tributo a Nuestra Señora de la Divina Providencia el 19 de noviembre.

Otras importantes fiestas del otoño son el Día de la Raza, el 12 de octubre; y el Día de los Muertos, el 2 de noviembre, ocasiones para conmemorar la "raza" y los difuntos respectivamente. El Día de la Raza presenta una interesante reacción cultural—algunos dirían que rechazo—al Día de Colón o del Descubrimiento de América. Y el Día de los Muertos muestra la manera singular que tienen los latinos de tratar con la

muerte. Aunque sus raíces son estrictamente mexicanas, este ritual sigue encontrando nuevos celebrantes en todas las colonias latinas, y su práctica se ha convertido en una expresión artística.

Dieciséis

❀ ❀ ❀

Un triunfo sobre la tiranía

Contrario a la creencia popular en los Estados Unidos, el Cinco de Mayo no es la fiesta de la Independencia de México. Es el 16 de septiembre. La fecha del 16 de septiembre no marca el día cuando terminó la guerra de independencia, sino el día en que comenzó. Cada vez más las colonias mexicoamericanas en los Estados Unidos han organizado fiestas para celebrar la independencia de México, y aunque tienden a tener los mismos adornos que en la mayoría de las celebraciones del Cinco de Mayo, el impacto simbólico de esta fecha es muy diferente.

Así como los fuegos artificiales, los almuerzos campestres y los colores rojo, blanco y azul se asocian con el 4 de julio—el Día de la Independencia de los Estados Unidos—, las costumbres asociadas con las celebraciones del 16 de septiembre tienen una importancia simbólica. Estas costumbres incluyen los colores de la bandera mexicana (rojo, blanco y verde), El Grito, la música de mariachis y conjuntos, el baile folklórico y productos culinarios como gorditas

El Grito

El Grito de Dolores conmueve en distintos niveles y tiene múltiples significados, así como el pueblo de México donde el padre Miguel Hidalgo y Costilla tocó las campanas y proclamó la libertad de México. El grito de México por la independencia sigue vigente hoy, y como tal es incluido en los estribillos de muchos corridos cantados por músicos tradicionales mexicanos.

A veces estos gritos son prolongados, y conllevan saltos de octavas que producen un escalofrío que recorre la espina dorsal. El grito común, ¡ay, ay, ay!, surge de una exclamación de dolor, proferida por el Padre Hidalgo, por las pobres condiciones de las masas de México. Este grito señaló el comienzo de la guerra para independizarse de España. Es por eso que el grito siempre ha enfatizado y enfatizará la continua lucha por la justicia:

¡Viva México!

y tamales. Con su significación histórica y política, esta fiesta le ofrece a los participantes alguna visión de los eventos que moldearon la psique cultural de México.

El avance de México hacia la independencia

A principios del siglo XVII, la situación colonial de México se encontraba bastante estable. Las riquezas del país mantenían satisfecha a España, o más específicamente a la corona española. La otra importante autoridad era la Iglesia Católica, que influía en los pobres tanto como en las clases altas. El país en efecto estaba controlado por dos poderes, pero no eran idénticos. La Iglesia tenía más influencia, pero mientras el flujo de oro, plata y chocolate se mantuvo ininterrumpido, España estaba satisfecha de dejarle a la Iglesia que atendiera los asuntos del pueblo, y los curas felizmente lo hacían. Ellos recaudaban los diezmos para sostener la Iglesia, pero también les ofrecían préstamos llevaderos a los terratenientes y empresarios. Enrique Krauze, autor de *México: Biography of Power* (HarperCollins: Nueva York, 1997), apunta: "Siempre, desde la conquista espiritual, los sacerdotes de México tuvieron un poder mucho mayor y más directo que cualquiera que pudiera ser impuesto por España o, en lo tocante a ese asunto, por Roma. Ellos podían contar con la ferviente lealtad y devoción del pueblo".

Para el siglo XVIII, las cosas comenzaron a cambiar, y la Corona española procuró recuperar el control que estaba en manos de la Iglesia. Esto siguió a la participación de España en la Guerra de los Siete Años (1756–1763), cuando Carlos III ordenó la expulsión de los jesuitas de México. Muchos conversos nativos se opusieron a este trato dado a los curas, hasta el punto de la rebelión armada. La Corona respondió con medidas aún más drásticas contra los nativos, incluida una gran masacre. Encima de esto, España se apropió del proceso de la recaudación de diezmos. "La expulsión de los jesuitas fue, al menos en un aspecto, un costoso error para los Borbones", escribe Krauze. "Generó un nuevo espíritu de patriotismo mexicano que se alimentó de los viejos resentimientos de los criollos".

Hubo muchos momentos cruciales que convergieron para llevar a "Nueva España" (México) hacia una revolución contra sus amos coloniales. Dos revoluciones ya habían ocurrido—la Revolución Norteamericana y la Revolución Francesa—, y los conceptos de libertad y democracia por los cuales estas revoluciones se libraron, no habían pasado inadvertidos por los misioneros españoles ni los intelectuales mexicanos. Éstos no podían ignorar las pobres condiciones de vida impuestas por la Corona española a sus feligreses. Irónicamente, sería la Iglesia, que se había asociado con España para conquistar México, Latinoamérica y las islas del Caribe, la cantera que produciría líderes decisivos para encauzar la lucha de México por su libertad.

Otro factor fue la paralizante deuda que España había empezado a acrecentar, escaramuza tras escaramuza, con sus dos enemigos más poderosos: Inglaterra y Francia. El país aspiraba a que su opulenta colonia, Nueva España, los nacionales españoles que aún vivían allí (gachupines), los terratenientes (criollos) y las masas restantes, saldaran su deuda de guerra. España dio un paso irreparable con la Iglesia cuando le arrebató su derecho a cobrar deudas debidas, después de prestar ayuda financiera a los hacendados de Nueva España. La Iglesia era un prestamista mucho menos riguroso de lo que España intentaba ser. Con la Iglesia, los préstamos se habían extendido y se habían acordado cómodos planes de pago, pero la Corona cambió esa política. "De repente—de un plumazo real—la Corona borbónica creó su derecho a exigir el pago inmediato de todas estas deudas en su totalidad, ofreciendo a cambio nada más que un vale, una promesa de compensación en algún futuro incierto", escribe Krauze. Naturalmente, hubo una protesta inmediata, y aunque algunos curas trataron de convencer a la monarquía española de que revocara sus decisiones a fin de conservar el control de México, otros curas, y particularmente uno de ellos que era criollo, se aprovecharon de esta oportunidad para llevar a México a un paso próximo a la independencia.

Grito por la independencia de México

Las revoluciones políticas rara vez son pacíficas, y la guerra por independizar a México de España no fue una excepción. Duraría once años y dejaría a México económicamente devastado, espiritualmente exhausto, y maduro para una última invasión de Francia. Aunque no viviría para ver el éxito de lo que él inició, el padre Miguel Hidalgo y Costilla se mantuvo como la fuerza motriz de la revolución que puso en marcha, con un llamado a la emancipación el 16 de septiembre de 1810 en el pueblito de Dolores, en el actual estado de Guanajuato, México.

Hidalgo podría ser descrito como un clérigo poco convencional, pero eso sería subestimarlo. Siendo un sacerdote católico ordenado, era un teólogo reconocido y un rebelde por naturaleza. Desde su punto de vista, la doctrina de la Iglesia era susceptible de una continua interpretación, como lo eran también sus deberes sacerdotales. Como hacendado, hombre de ojos verdes y tez blanca, descendía de una antigua familia de criollos (españoles nacidos en México) y sus votos de castidad y pobreza siempre le pusieron a prueba. Hubo algunos intentos de excomulgarlo (finalmente uno de sus colegas más cercanos lo logró) basado en pruebas de que era jugador, mujeriego y que se acercaba irrespetuosamente a las doctrinas de la Iglesia. Individualista como era, alentaba a su congregación a estudiar la Santa Biblia, "con libertad de mente para discutir lo que queramos sin temor a la Inquisición".

Pero Hidalgo tenía un amor más grande que su amor a la Iglesia: su amor por México y su gente. Una revolución necesita este tipo de líder carismático e Hidalgo no le falló su país. "Hidalgo no sólo era un sacerdote inquieto, sino excéntrico, un hombre libre y brillante, que atrajo—y sedujo—a sus contemporáneos más ilustrados, pero perturbó a los más rígidos y conservadores. De una manera vaga percibían que él era la semilla de algo nuevo y desconcertante", escribe Krauze.

España había regido México por 300 años. Durante ese tiempo, había impuesto un sistema de castas que favorecían a un pequeño grupo de terratenientes sobre la población campesina. Más allá de este control secular estaba la profunda influencia de la Iglesia Católica, que continuaría influyendo en la política mexicana aun después de que México alcanzara su independencia de España. En extremo inteligente y culto, y encolerizado por la pobreza de que era testigo en su parroquia, Hidalgo estaba destinado a tomar las riendas de la revolución. Pero un acontecimiento vendría a ofrecerle el pretexto para que él llegara a pronunciarse.

En 1804, la Corona española exigió que todos los terratenientes hicieran pagos exorbitantes bajo la amenaza de venderles las tierras en subasta. Los hacendados, como la familia de Hidalgo, se encontraron al borde de la quiebra, y en el círculo íntimo de su familia, Manuel, el hermano menor de Hidalgo, no pudo resistir la presión y enloqueció, para morir al cabo de unos pocos años. Hidalgo siempre culparía a la Corona por esta pérdida en su familia.

Individualista más que militar, las ideas de Hidalgo acerca de la revolución eran anárquicas. En lugar de defender la revolución como parte de un proceso democrático, se valió del imperio de la turba para hacer la guerra, instando a los indios de su parroquia a tomar cualquier tipo de armas, desde escopetas hasta piedras, para echar a los españoles. El dieciséis de septiembre, Hidalgo tocó las campanas de la iglesia para llamar a sus fieles a la plaza e inflamar al grupo con esta orden: "¡Muerte a los españoles! ¡Viva la Virgen de Guadalupe!". Según Krauze no existe un consenso en cuanto a las verdaderas palabras de Hidalgo. "Sabemos que llamó a los indios a abrir las cárceles de Dolores—dice Krauze—libertar a los presos, encerrar a los españoles y que autorizó el saqueo de casas y haciendas pertenecientes a los gachupines y les permitió a sus seguidores matar y satisfacer sus instintos de venganza".

Sangrientas batallas siguieron al grito de Hidalgo. Krauze cuenta acerca de la masacre de Guanajuato donde, pese a encerrarse en un granero, muchos criollos y españoles fueron masacrados por las fuerzas de Hidalgo: "Como si la historia estuviera tomando una atroz venganza por las masacres de indios cometidas por los conquistadores en Cholula y en el gran templo de Tenochtitlán, los indios y las castas (descendientes de esclavos negros) de la ciudad se unieron a las brigadas indias de Hidalgo en la matanza de todos los hombres españoles". Hidalgo había inculcado en sus seguidores el deseo de rebelarse, y con sus propios agravios personales contra el régimen español, llegó a dudar entre aplacar la creciente sed de sangre de sus seguidores o continuar dirigiéndoles.

Y agrega Krauze: "Hidalgo confesaría después que no conocía ningún otro medio de atizar la guerra que no fuese el que puso en práctica: valerse del prestigio de su sacerdocio para apelar a las pasiones elementales de sus feligreses indios, entre ellas el saqueo y la venganza. . . . Quería destruir el viejo orden, curar sus injusticias sociales y étnicas, vengar los viejos agravios de los criollos y vengar a Manuel, su hermano que había muerto. Buscaba una conflagración universal".

Hidalgo puede haber comenzado la revolución, pero no pudo mantenerla viva. Carente de adiestramiento militar, condujo a sus seguidores (que en un momento llegaron a sumar ochenta mil) a un alto frente hasta Ciudad México, "armados con lanzas, piedras y palos y tan dispuestos a saquear Ciudad México que habían traído consigo sacos para llevarse lo que tomaran", dice Krauze. Aunque muchos creen que podía haber terminado la guerra allí y derrotado al ejército español, el sacerdote decidió retirarse. Tal vez se había cansado de la carnicería y optó por una solución más diplomática. Se retiró a Guadalajara, donde concibió dos metas importantes para la revolución: abolir los impuestos y devolver la tierra a sus dueños originales, los indios. Fue arrestado y ejecutado en la ciudad de Chihuahua a menos de un año del comienzo de la guerra, el 30 de julio de 1811.

Otro cura, José María Morelos y Pavón, había oído el grito de libertad de Hidalgo y había abrazado su causa. A diferencia de Hidalgo, Morelos era mestizo—mezcla de indio y español—y tenía un origen mucho más humilde. Hidalgo y Morelos se encontraron brevemente poco después de que el primero se alzara en armas, y Morelos, que entonces tenía cuarenta años, aceptó la responsabilidad de organizar la rebelión en el sur. A diferencia de Hidalgo, Morelos estudió textos militares y condujo una rebelión más organizada. El papel de Hidalgo en lograr la independencia de México ha sido más celebrado, pero fue Morelos quien dirigió las grandes batallas de la revolución.

Al igual que Hidalgo, Morelos no vería el fin de la lucha. Fue ejecutado en 1815. Pero, distinto a aquel, Morelos tendría una impronta mayor en las condiciones de la libertad de México—ayudó a redactar la primera constitución del país. En esta constitución, Morelos captó efectivamente los conceptos de democracia y los incorporó en la composición social y cultural de México. Dice Krauze: "Morelos no vio la lucha por la independencia meramente como un problema de armas y política . . . Morelos había llegado a tener conciencia de la desigualdad social entre el México empobrecido de piel oscura de los indios y las castas, y el México rico y blanco de los españoles y los criollos. De estos recuerdos extrajo su ideología . . . una invitación a alcanzar y edificar un acuerdo, apuntando al futuro". México finalmente alcanzó su independencia en 1821.

Celebraciones de la independencia de México en los Estados Unidos

Al igual que el Cinco de Mayo, las celebraciones para conmemorar el Dieciséis de Septiembre en los Estados Unidos probablemente se remonten a la época en que el Sudoeste era todavía parte de México. Pero la tendencia ha aumentado en los últimos años, en alguna medida como un rechazo contra el Cinco de Mayo y la percepción equivocada de que esa fiesta celebra la independencia de México. Los padres y los maestros sienten la necesidad de esclarecer que el 16 de septiembre es el 4 de julio mexicano.

A través de todo el sudoeste de los Estados Unidos, siguen apareciendo organizaciones latinas que auspician las celebraciones del Dieciséis. Una de las fiestas más antiguas tiene lugar en Dallas, en el parque Pike en el corazón del barrio latino llamado Pequeño México. Desde 1965, la Federación de Organizaciones Mexicanas ha auspiciado el acto, no sólo para reforzar el orgullo cultural de la comunidad hispana, sino también como un medio de educar a toda la sociedad de Dallas respecto a la historia de sus habitantes hispanos. Catalina Valdez Scott ha ayudado a organizar el evento durante varios años, y ha visto como el interés de toda la colonia de Dallas ha ido aumentando cada vez más. "Hemos estado recibiendo llamadas de personas que no son hispanas . . . todas quieren información", cuenta en un artículo del diario *Dallas Morning News*. "Queremos que la gente de ascendencia mexicana se sienta orgullosa de su herencia y de la historia de México. La gente se enorgullece de quienes son, otras personas aprecian eso, y eso me hace feliz".

Igual que todos los festivales culturales, la comida, la música y el baile son los tres ingredientes principales para convertir el Dieciséis en un verdadero éxito. En Texas, los platos tradicionales como tacos, gorditas, tamales y fajitas son el menú usual, junto con las hamburguesas y perros calientes, imprescindibles en las fiestas norteamericanas. Los vendedores tienden a agruparse por vecindarios o colonias a la espera de recaudar fondos para sus organizaciones no lucrativas. Los postres como las raspadas (semejantes a los conos de nieve pero con siropes de frutas frescas) y los buñuelos son comunes también, además de helados y algodón de azúcar.

La música comienza con mariachis, la familiar *troupe* de ocho a diez cantantes, vestidos como charros estilizados que tocan la trompeta, el violón, la guitarra y el bajo sexto (un bajo de seis cuerdas). Aunque muchos suponen que la música de los mariachis es música tradicional mexicana, la realidad es que se trata de música de origen francés que México adoptó. Pero el estilo y los trajes de los intérpretes son exclusivamente mexicanos. Con frecuencia, invitan a miembros del ballet folklórico local a que participen del evento, bailando con la música de los mariachis. Más tarde en el día, la mayoría de las celebraciones incluyen un concierto a escala completa con bandas que tocan una variedad de estilos de música mexicana, desde conjunto a tejano, y culminan con la banda más popular del género que la organización auspiciadota pueda costear. Puesto que el Dieciséis se celebra de costa a costa, usted podría oír salsa o merengue en algunas de las celebraciones.

Las actividades usualmente comienzan por la mañana, con eventos especiales destinados a los niños, pero el primer día de lo que tiende a ser un festejo de tres días, se exige una representación que señale el comienzo de la fiesta—el Grito de Dolores. Usualmente a prominente líderes cívicos latinos se les pide que realicen este ritual, y algunos festivales pueden tener incluso un certamen del Grito de Dolores.

La mayoría de las ciudades norteamericanas con una población mexicana significativa participan de esta fiesta, incluso ciudades del norte como Filadelfia, en el estado de Pennsilvania. Poco más del cinco por ciento de una población no parecería mucho, pero en una ciudad del tamaño de Filadelfia esa cifra se traduce en 89 mil personas de ascendencia hispana. El grueso de este grupo es puertorriqueño, aunque una creciente población mexicana y mexicoamericana se ha incorporado a los trabajadores migratorios en la zona que bordea los plantíos de zetas. Hay incluso un consulado mexicano en Filadelfia, y hace ocho años el cónsul de esa época, Patricia Soria, decidió que era hora de expandir los festivales de cultura mexicana más allá del Cinco de Mayo y festejar la independencia mexicana en Filadelfia. "Todo comenzó con la Asociación de México, que fue fundada por nuestra cónsul en esa época, Patricia Soria, quien decidió hacer una pequeña celebración para la colonia mexicana local", explica Elena Riley, directora del Centro Cultural Mexicano de Filadelfia. "Siguió creciendo, y dos años después, el gobierno mexicano fundó el Centro Cultural de México para dirigirlo".

Auque el Centro celebra el Cinco de Mayo ("estamos obligados a hacerlo", dice Riley), es más un acontecimiento discreto que se recarga en la parte educativa. La celebración del Dieciséis, por otra parte, es la principal celebración del Centro, que incluye los componentes usuales, el grito (dado por el cónsul), comida mexicana (tacos, carnitas, tostadas y cerveza mexicana), música y baile. "Para el Dieciséis, la música y el baile es toda popular mexicana, de mariachis, boleros y conjunto. Traemos también bailarines del ballet folklórico de Puebla o de Oaxaca, en México", afirma Riley.

La celebración del Dieciséis se ha expandido a tres localidades en Filadelfia. La principal se encuentra en *Penn's Landing*, un muelle tipo parque público, que atrae de 25 mil a 30 mil personas, pero hay también dos eventos más pequeños en municipios distantes. El Centro y el programa de educación para el inmigrante alquilan autobuses para llevar a los trabajadores inmigrantes a participar de

Salsa para toda ocasión

El sabor de México ha sido el más exitoso embajador de esta cultura. El problema se presenta cuando la gente quiere separar el sabor de la nación. Participando de la celebración del Dieciséis ayudará a reforzar ese nexo. Puesto que la salsa picante el primer condimento de este país, por encima del *ketchup*, una manera sencilla de conservar el espíritu del Dieciséis es hacer la salsa en casa. Es rápida, fácil, costeable y deliciosa.

Salsa picante

4 tomates medianos (evite los romas o tomates dulces)

1/2 cebolla grande

1 puñado de hojas de cilantro, sin los tallos

4 jalapeños

1 cucharadita de sal

1/4 de taza de salsa de tomate

2 cucharaditas de jugo de lima

En una batidora, mezcle la cebolla, los tomates, los jalapeños y las hojas de cilantro. Para una consistencia con grumos, seleccione en la mezcladora la velocidad que dice *chop* para las cebollas y los jalapeños, y mezcle todo lo demás por no más de un minuto. Vierta la mezcla en una sartén y hágala hervir. Añádale sal y jugo de lima a gusto. Deje hervir durante unos cinco minutos. Luego que la salsa se enfríe, viértala en un frasco de vidrio. Un frasco vacío de las salsas que se compran en la tienda viene bien. Guárdela en la nevera. Hirviéndola y refrigerándola ayudará a que la salsa dure hasta un mes.

Nota: Esta es una receta de salsa picante. La cocción extrae parte del picante de los pimientos. Para los paladares más débiles, un jalapeño puede ser suficiente. Para paladares más fuertes, simplemente añada más jalapeños.

El culto a María

El culto mariano—la veneración de María como un icono religioso separado—ha sido aceptado y promovido por la Iglesia Católica durante siglos. Ese culto fue utilizado con mucha eficacia en la conversión de América porque los pueblos nativos encontraron más fácil hacer un cambio de una diosa como la madre Tierra, a María, la madre de Dios. La mayoría de las culturas latinoamericanas tienen una virgen que se dirige a sus fieles, a veces como una aparición, pero siempre espiritualmente.

La conversión católica de América fue tan completa que cada país del continente presume de su propia patrona. En los Estados Unidos, la virgen patrona es Nuestra Señora de la Inmaculada Concepción. Muchas comunidades hispanos católicas han sido lo bastante dichosas para afirmar que han recibido una visitación de la virgen María, y al hacer eso, adoptan su propia advocación de la Virgen. Desde Nuestra Señora de Luján en la Argentina, a Nuestra Señora de Coromoto en Venezuela, pasando por Nuestra Señora de la Caridad del Cobre en Cuba y Nuestra Señora de la Divina Providencia en Puerto Rico, hay una Virgen para todo el mundo. Nuestra Señora de Guadalupe ha sido nombrada Patrona e Imperatriz de las Américas porque ella es la única Virgen que ha hecho una aparición en este continente.

esos eventos. En Filadelfia la actividad atrae una gran multitud. "Intentamos mostrar lo mejor de la cultura y la tradición mexicanas", afirma Rilley.

En cualquier festival cultural, la cultura es lo principal. El Dieciséis puede tener una historia muy distinta al Cinco de Mayo, pero ambas celebraciones afirman el espíritu de un pueblo que luchó por la libertad de un país que destruyó una cultura mientras creaba una nueva.

Vírgenes del Caribe

El "culto a María" es privativo de la fe católica. A diferencia de la imagen de muchas diosas indígenas, que podían ser sustentadoras y brutales, María, la madre de Dios, atrae por su amabilidad. Ella no juzga ni condena. Se les aparece a los débiles y desposeídos con un mensaje de esperanza y amor. Los más precisos y perdurables relatos sobre la Virgen María usualmente incorporan un tono político tanto como espiritual. La Virgen de Guadalupe se le apareció a un indio y le habló en su lengua nativa. Por esto, y porque su imagen reflejaba las razas mezcladas de México, la devoción que los hispanos sienten por ella es constante. En el papel de patrona, la Virgen María tiene un poder insondable, y las patronas de Cuba y Puerto Rico, Nuestra Señora de la Caridad del Cobre, y Nuestra Señora de la Divina Providencia, respectivamente, han tenido un impacto semejante en los creyentes de esas islas. Los cubanos celebran la fiesta de Nuestra Señora de la Caridad del Cobre el 8 de septiembre, y los puertorriqueños le rinden homenaje a Nuestra Señora de la Divina Providencia el 19 de noviembre.

La santa patrona cubana, la Virgen del Cobre, tiene muchas leyendas. El tema central, no obstante, sigue el de la mayoría de las visiones religiosas—se les apareció a los oprimidos en su momento más desesperado y les dio la fuerza para imponerse a la adversidad.

En una versión de la historia, los pobres son mineros del cobre que habían ido a pescar para alimentar a los demás trabajadores. Lanzaron sus redes y, en lugar de peces, recogieron una estatuilla de la Virgen María. El santuario de la Virgen fue construido en El Cobre, cerca de Santiago de Cuba (provincia de Oriente), y es el sitio de una peregrinación que hacen los cubanos cada 8 de septiembre. Los cubanos exiliados sintieron la pérdida de la Virgen de manera tan viva que levantaron en Miami un nuevo santuario.

En Puerto Rico, Nuestra Señora de la Divina Providencia no era nativa de la isla—su leyenda comenzó en Italia. Luego, su devoción encontró fieles en Cataluña, España, y un español, el obispo Gil Esteve Tomás, inevitablemente se la llevó consigo al Nuevo Mundo. Inspirado por su patrona, el obispo animó a los vecinos de los pueblos a ayudar a reconstruir una iglesia en honor de la Virgen que incluyera una hermosa imagen de talla. La imagen es tomada de una pintura original y muestra a la Virgen con el Niño Jesús en su regazo mientras ella amorosamente lo mira.

En su tesis, "La bendita Virgen María, Madre de la Divina Providencia en Puerto Rico", el padre Michael Meléndez aclara que "las devociones marianas no se proponen—contrario a las creencias fundamentalistas populares—como un culto pagano, sino [que son] más bien un momento en el que el cristiano es llamado a reflexionar sobre la vida de María en términos de su relación con Cristo, con la salvación y con la Iglesia".

La mayoría de las vírgenes patronas se distingue por sus leyendas, perpetuadas a través de una aparición u otro acontecimiento milagroso que tiene lugar en ese país. Aunque había otra Virgen de Guadalupe en España, la Virgen de Guadalupe se convirtió en patrona de México debido a su aparición en ese país y la "tilma" milagrosa que lleva su imagen. Lo mismo es cierto de la Patrona de Cuba, Nuestra Señora de la Caridad, que también comparte un nombre con una Virgen española, pero está inextricablemente unida a la isla gracias a la estatuilla que fue encontrada por tres esclavos. La patrona de Puerto Rico, Nuestra Señora de la Divina Providencia, no fue vista en la isla pero, para muchos puertorriqueños que la veneran, eso no es más que un tecnicismo. Al igual que todas las vírgenes patronas, la de Puerto Rico ofrece la inspiración y el consuelo que procede naturalmente de la madre de Dios.

Fiesta de Nuestra Señora de la Divina Providencia

❋ ❋ ❋

Veneración de una Virgen caribeña

La historia de Nuestra Señora de la Divina Providencia comienza en el siglo XIII, cuando era venerada en la ciudad de Arezzo, en la región de Toscana en Italia. Inspirados por la obra de San Francisco de Asís, siete ricos mercaderes de la zona tomaron un voto de pobreza y se unieron a la orden de los Siervos de María. Tan devotos eran que dejaron su sustento diario a la voluntad de Dios. San Felipe Benicio, que fue el quinto superior de la orden de los Siervos de María, visitó a los frailes un día. "San Felipe Benicio encontró que los frailes estaban completamente confiados en la Divina Providencia porque no le pedían nada a nadie. Confiaban en un Dios generoso que proveería todas sus necesidades", escribe Meléndez. Después de rezarle a la Virgen María que ayudara a los frailes, San Felipe descubrió comida a las puertas del convento—dos cestas llenas—pero ninguna huella de cómo habían llegado hasta allí. "Desde entonces, fue invocada como la Virgen de la Divina Providencia".

Con el tiempo, la devoción a esta Virgen llegó a España, donde se le construyó un santuario en Tarragona, Cataluña. Un [clérigo] natural de esa región, Don Gil Esteve Tomás fue nombrado obispo de Puerto Rico, y trajo consigo la devoción a esta Virgen. Cuando Tomás llegó a la isla, aproximadamente a mediados del siglo XIX, el trigésimo tercer obispo de Puerto Rico encontró la catedral de San Juan prácticamente en ruinas. Le pidió ayuda a la Virgen, y aunque no se produjo ninguna aparición u otro descubrimiento, la iglesia fue restaurada por los fieles en menos de cinco años.

Una vez que hubo establecido la devoción a la Virgen, el obispo encargó a España una versión tallada de su imagen para instalarla en la catedral. La imagen original de la Virgen se encontraba en un cuadro al óleo en el cual ella contempla al niño Jesús que duerme en su regazo. Está en actitud de oración y sus manos se ahuecan sobre una de las suyas. La talla de madera original que replica esta imagen permaneció en la catedral hasta 1920, cuando fue sustituida por otra magníficamente tallada.

A fin de solidificar los vínculos entre la Virgen y los habitantes de la isla, el papa Paulo VI cambió la fecha de su celebración para que correspondiera con la fecha que tenía más significación para la isla, el 19 de noviembre. En esta fecha se celebraba el descubrimiento de la isla. Por coincidencia, hay pruebas de que una de las primeras misas dedicadas a la Virgen de la Divina Providencia fue celebrada en Europa en 1774, en la misma fecha. El 19 de noviembre se convirtió en día de fiesta oficial de la Virgen, la cual también se convirtió en patrona oficial de la isla. Un boletín publicado en 1996 por el Instituto Pastoral del Sureste (SEPI en inglés), *Documentaciones sureste,* comenta la significación e historia de las vírgenes patronas de América Latina, y explica la decisión del papa Paulo VI de este modo: "La intención fue la de reunir los dos grandes amores de los puertorriqueños: el amor a su hermosa isla y el amor por la madre de Dios".

Las intenciones del Papa se cumplieron. Nuestra Señora de la Divina Providencia se ha convertido en el principal icono religioso de la isla. Meléndez especula que es la imagen de una Virgen amorosa y sustentadora lo que cautivó a la población. "Uno puede ver el completo amor materno y sustentador de la Virgen María, donde uno ve al niño Jesús durmiendo felizmente, con total seguridad y confianza, sobre el regazo de su madre. Es esta misma Divina Providencia que resuena y repercute dentro del alma puertorriqueña con un profundo sentido de armonía".

La Virgen aparece en Nueva York

La creciente población puertorriqueña de Nueva York también sentía la necesidad de establecer su devoción a Nuestra Señora de la Divina Providencia. Sonia Casanova, directora de la Oficina del Apostolado Hispano de la Arquidiócesis de Nueva York recuerda lo impresionada que quedó, siendo una niñita en Puerto Rico, cuando sostuvo la imagen de la Virgen por primera vez y participó en la celebración del 19 de noviembre. Fue testigo de la profunda devoción que inspiraba la Virgen. "Centenares de personas venían al santuario cada día y decían el rosario, y los sábados, decían una novena completa (nueve rosarios)". Muchos creían también que fue la Virgen quien protegió a la isla de huracanes durante veinte años después de que fue proclamada protectora.

En Puerto Rico era común que la imagen de madera de la

Virgen recorriera la isla, hasta que se quemó casi completamente en 1980. Se envió a España para que la repararan, pero aún no ha regresado. En Nueva York, al artista Antonio Avilés se le encargó que hiciera una imagen de la Virgen. Al igual que la de la isla, la imagen recorrería rutinariamente las iglesias de la Arquidiócesis de Nueva York, y de la Diócesis de Brooklyn, pero las peregrinaciones estropearon a la imagen, de manera que ahora tiene un sitio permanente en la Iglesia de Santa Bárbara en Brooklyn.

Aunque algunas iglesias organizan sus propias celebraciones cada año, Casanova dice que la arquidiócesis tiene una celebración central, usualmente un viernes. Incluye una misa con un rosario, y un festival musical con comida después de la misa. La arquidiócesis escogió un viernes en lugar de un domingo a fin de que no hubiera conflicto entre las liturgias. La devoción de Nuestra Señora de la Divina Providencia está en ascenso también, dice Casanova. Cada año, una muchedumbre multicultural cada vez mayor asiste a las festividades.

Fiesta de Nuestra Señora de la Caridad del Cobre

❀ ❀ ❀

La Virgen del Cobre

Al comienzo del siglo XVII, Cuba llevaba más de cien años ocupada por los españoles. En ese tiempo, la isla había sufrido pérdidas catastróficas. Debido a su situación geográfica en el Caribe, Cuba era estratégicamente importante para los españoles. Su rico suelo y sus depósitos de minerales, es decir de cobre, conservaban su valor, lo cual sumió a los nativos en la esclavitud. Cuando murieron de enfermedades y fatiga, los españoles importaron africanos a la isla para suplir la mano de obra esclava. La Iglesia Católica también envió sus misioneros para convertir al populacho, pero no serían tan eficaces en esta isla como habían sido en otras partes de América Latina. El tiempo estaba maduro para la aparición de la Virgen de la Caridad del Cobre.

Según el testimonio, dos indios esclavos—los hermanos Rodrigo y Juan de Hoyos— y un negro esclavo adolescente llamado Moreno trabajaban en las minas que le daban nombre al lugar, El Cobre, cerca de Santiago de Cuba, provincia de Oriente. Salieron un día a buscar sal que se usaba en la mina para preparar la comida de los trabajadores. Valiéndose de un bote viejo, atravesaron remando la Bahía de Nipe para llegar a los depósitos de sal. El mal tiempo les impidió completar su viaje en un sólo día, de manera que tuvieron que hacer un alto en Cayo Francés. Luego de unos pocos días, pasó la tormenta, salió el sol, y el mar se calmó. Según se acercaban a su destino, notaron que algo blanco flotaba en el mar. Al principio pensaron que era un pájaro o una niñita, pero pronto descubrieron que no era ni una cosa ni la otra. Lo que encontraron fue una imagen de la Virgen María de quince pulgadas de alto. Vestida de blanco, cargaba al niño Jesús con su brazo derecho y sostenía una cruz de oro en su mano izquierda. La imagen estaba pegada a una pieza de madera, en la que se leía esta inscripción: "Yo soy la Virgen de la Caridad". En su testimonio años después, Moreno hacía resaltar que aunque había estado en el mar, ni la figura ni sus ropas estaban mojadas.

Hay muchas leyendas en torno a "Cachita", como se le llama. Una cuenta que realmente se les apareció a los tres y los salvó de la tormenta, pero según el Padre Mario Vizcaíno, Sch.P., de SEPI, autor de *La Virgen de la Caridad—Patrona de Cuba* (Instituto Pastoral del Sureste: Miami), cuando el gran historiador cubano Leví Marrero comenzó a investigar la leyenda de la Virgen en los años setenta, descubrió documentos en Sevilla, España, que contenían el testimonio escrito de Moreno acerca de esa experiencia. "En este documento—dice Vizcaíno— podemos confirmar los datos de la leyenda: había tres personas en el bote, que eran Moreno y los dos hermanos indios, no estaban perdidos, y encontraron la imagen con el mar en calma, y no durante la tormenta". La fecha del descubrimiento, el primero de abril de 1612, también quedó confirmada por el testimonio de Moreno.

La imagen fue llevada al pueblo minero de El Cobre, y con el tiempo se le construyó un santuario allí. A su tez, pintada sobre arcilla cocida, se le ha llamado mulata por asemejarse a los rasgos étnicos de muchos cubanos. "También resulta importante quiénes la descubrieron", apunta Vizcaíno. "Los tres esclavos eran cubanos nativos. Esto es muy interesante porque la bendita Madre eligió aparecerse a lo más cubano que había en esa época: los indios y los esclavos nativos, gente de las clases más bajas. Éste es el patrón de las apariciones de la Santísima Virgen—aparecerse a los más desamparados de una sociedad y brindarles consuelo".

El relato fue registrado en 1687, setenta y cinco años después de ocurridos los acontecimientos. Moreno tendría ochenta y cinco años en ese momento. Aunque él confirma el relato, el testimonio de Moreno no explica cómo la imagen llegó al mar. Varios estudiosos han aventurado hipótesis, y muchos suponen que los españoles la trajeron con ellos. Ya existía un santuario a la Virgen de la Caridad en Illescas, España. Ambas vírgenes se parecen, pero presentan algunas ligeras diferencias. Aun si hubiera sido traída a la isla por un colono, fue rápidamente adoptada por los esclavos debido a la historia [de su aparición] y a su apariencia. En *Our Lady of the Exile: Diasporic Religion at a Cuban Catholic Shrine in Miami* (Oxford University Press, Nueva York, 1997), el autor Thomas A. Tweed explica: "A partir de la década de 1640, la devoción a Nuestra Señora de la Caridad se extendió. Los esclavos que trabajaban en las minas en los alrededores de El Cobre parecían haber venerado a Nuestra Señora de la Caridad durante las primeras décadas del siglo XVII, en la capilla del hospital y en sus casas; y durante las últimas décadas de ese siglo, cuando la imagen de la Virgen fue colocada en el altar mayor del santuario de El Cobre, la devoción a Nuestra Señora de la Caridad se extendió entre la población general de la provincia de Oriente".

Al igual que la Virgen de Guadalupe en México, Nuestra Señora de la Caridad les sirvió a los cubanos como fuente de inspiración y apoyo durante sus treinta años de lucha por independizarse de España que comenzó en 1868. Las madres le rezaban para que protegiera a sus hijos, y los soldados le rezaban para que los ayudara a salir adelante. El clero, sin embargo, permaneció dividido tocante a apoyar a la Corona o a la libertad para la isla. Los cubanos les guardaron rencor a ellos y a la iglesia durante años, pero no le guardaron rencor a la Virgen. Dice Tweed: "Por la época en que los españoles fueron derrotados (en 1898), y el gobierno de ocupación norteamericano cesara con la instauración de una república cubana independiente (1902), la Virgen del Cobre se había convertido en 'la Virgen Mambisa'. Ella se había vuelto la Virgen rebelde, la Virgen patriota, la Virgen nacional".

Sería también la petición de un soldado lo que llegaría a convencer al papa Benedicto XV, en 1916, el nombrar a la Virgen de la Caridad Patrona de Cuba y establecer el día de su festividad.

CACHITA EN MIAMI

La migración cubana a los Estados Unidos no es un fenómeno del siglo XX. Comenzó desde la tercera década del siglo XIX y se incrementó notablemente al estallar la primera guerra de independencia en 1868. La mayor parte de esa población se estableció en zonas despobladas de la Florida, tales como Cayo Hueso e Ibor City, en vez de en Miami, ya que ésta no se fundó hasta 1898. Eso no tardaría en cambiar. Lo que comenzó como un goteo se convertiría en una inundación luego del golpe de estado comunista de

Fidel Castro en 1959. Según la Oficina del Censo de los Estados Unidos, el número de cubanos que viven en el Condado de Dade (donde queda Miami) pasó de 29.500 en 1960 a 224.000 en 1970.

Despojados de su patria y aprendiendo a establecerse en un nuevo país, con un idioma y una cultura diferentes, muchos cubanos buscaron sostén en la Virgen de la Caridad. Así como ella se había asociado a la identidad nacional de Cuba en 1898, la Virgen se convirtió en un mecanismo necesario de los cubanos exiliados para enfrentar la adversidad. Según Tweed, la Virgen, irónicamente, ayudaría a reforzar el catolicismo en muchos cubanos que tradicionalmente habían permanecido fuera de la Iglesia. "Así como los cubanos exiliados de Cayo Hueso y Nueva York habían recurrido a Nuestra Señora de la Caridad en los tumultuosos años de 1890, así también los inmigrantes contemporáneos que llegaban a Miami enfatizaban también la importancia de la devoción a la patrona nacional para darle razón al exilio".

La primera misa celebrada en Miami el día de la fiesta de Nuestra Señora de la Caridad fue organizada por unos curas cubanos en 1960. Ese primer año, 800 devotos asistieron a la misa. Esto era una prueba fehaciente de su atractivo, aunque resultó empequeñecida cuando al año siguiente una muchedumbre de 25 mil a 30 mil personas asistieron a la misa por "Cachita" que se celebró en un estadio de Miami. La Iglesia Católica no podía dejar de advertir ese tipo de concurrencia, pero no sería hasta que un obispo irlandés de Pittsburgh (estado de Pennsylvania), el arzobispo Coleman F. Carroll, se hiciera cargo de la parroquia que los planes para crear un santuario para la Virgen progresaron.

Muchos curas cubanos al principio resistieron el empeño, dice Tweed. Muchos sabían que el dominio que la Iglesia tenía de esta congregación era tenue, y que el santuario atraería la devoción a la Virgen pero negaría el sistema parroquial que enfatizaba la doctrina de la Iglesia. Sin embargo, cuando el arzobispo Carroll anunció su deseo de construir el santuario durante la misa en un día festivo de la Virgen en 1965, el exilio cubano respondió con entusiasmo. El 2 de diciembre de 1973 fue consagrada en Miami la Ermita de la Caridad. Desde entonces, la Virgen ha estado allí para toda la colonia latina del sur de la Florida, incluidos los no católicos.

LA DIOSA OCHÚN

La historia de la conquista española no es apacible. En muchas partes de América Latina, donde los indígenas sobrepasaban en número a los españoles, tuvo lugar una mezcla, un mestizaje cultural. Muchos rituales católicos incorporaron ritos indígenas, en un empeño de los curas por convertir a la población y en un esfuerzo de la población por conservar su identidad. Este proceso se conoce por sincretismo. En Cuba este mestizaje mezcló las culturas española, africana e indígena. Aunque la Iglesia Católica sigue considerándose la religión mayoritaria en Cuba, los cultos afrocubanos derivados de ese sincretismo han progresado notablemente en los últimos años, haciendo que muchos católicos no tengan ningún reparo en practicarlos. Esa dualidad se extiende incluso en lo que respecta al culto de la Virgen del Cobre.

El *alter ego* de la Virgen en la santería es Ochún, una diosa yoruba. Según una leyenda, Ochún simpatizaba con los esclavos negros que eran llevados de sus hogares por los tratantes de esclavos y obligados a trabajar en las minas y plantaciones de Cuba. Ella consultó a su hermana mayor, Yemayá, que le dijo que no podía detener esa migración, de manera que Ochún decidió seguir a su pueblo a Cuba. Pero cuando su hermana le explicó que no todo el mundo en Cuba era negro, Ochún le pidió que le concediera dos deseos: hacerle la piel más clara y el pelo más lacio a fin de gustarle a todos los cubanos. La imagen de la Virgen se corresponde con los rasgos de la mayoría de las mujeres cubanas en la actualidad: piel olivácea, pelo negro y ojos negros.

Independientemente de su origen, la pequeña imagen de [la Virgen que se encuentra en] Miami, ella misma una exiliada, puede suscitar una apasionada devoción. Muchos balseros que se arriesgan a cruzar el estrecho de 90 millas entre Cuba y los Estados Unidos dependen de la Virgen para hacer con seguridad el trayecto. Pero en Miami, "Nuestra Señora de la Caridad suscita poderosas reacciones", dice Tweed. "Los devotos lloran, ríen, se arrodillan, cantan, agitan las manos, esperan, se quejan, agradecen y piden. Ella tiene el poder de provocar tales respuestas entre los cubanos exiliados, supongo yo, porque la han consagrado como un símbolo translocativo y transtemporal. Una segunda razón de que la imagen de Miami suscite esa poderosa reacción es que sitúa a los devotos temporalmente. Nuestra Señora de la Caridad despierta la memoria personal y colectiva".

En su viaje a los Estados Unidos, María del Carmen Cárdenas le rezó a la Virgen de la Caridad del Cobre que la protegiera a ella y a su familia. Al igual que los nativos originales que primeros descubrieron a la Virgen, Cárdenas y su familia salieron en una balsa improvisada con asientos de automóviles viejos y madera. Atravesaron una tormenta y sobrevivieron sin agua ni comida durante tres días. En un artículo publicado en el rotativo *The Record* el 13 de septiembre de 1993, Cárdenas, que se estableció en Nueva Jersey con su familia, dice que ella cree que la Virgen oyó sus oraciones. "Fue nuestra fe en ella y en Dios lo que nos mantuvo vivos. La Virgen nos protegió".

El Santo Rosario

La Virgen María ama y acepta a todos, incluso a los más pobres. Las muchas agrupaciones marianas que existen para glorificarla dan fe del poder de su atractivo. La Iglesia Católica inventó un instrumento para concentrar la oración en la Virgen María—el Santo Rosario. Aunque se toma erróneamente por una alhaja, el mecanismo tiene un diseño de cuentas que representan oraciones: cinco doxologías ("Gloria sea al Padre, al Hijo . . . etcétera), un Credo de los Apóstoles, cinco padrenuestros y cincuenta y tres avemarías. Para una auténtica experiencia de cualquier festividad de la Virgen, es éste el instrumento que denota una verdadera devoción.

Hay tres [clases de] misterios en el rosario—dolorosos, gozosos y gloriosos—que resumen la vida de María como la

Los Misterios del Santo Rosario

Gozosos

1. La anunciación.
2. La visitación.
3. La natividad.
4. La presentación en el Templo.
5. El hallazgo [de Jesús] en el Templo.

Dolorosos

1. La oración en el huerto.
2. La flagelación de Jesús en la columna.
3. La coronación de espinas.
4. Jesús con la Cruz a cuestas.
5. La crucifixión.

Gloriosos

1. La resurrección de Jesús.
2. La ascensión de Jesús.
3. El descenso del Espíritu Santo.
4. La asunción de la Virgen María.
5. La coronación de la Bendita Virgen María.

madre de Jesús. Cada serie cuenta de cinco misterios que deben anunciarse al comienzo de cada diez del rosario. La elección de los misterios depende del día de la semana. Al lunes y al miércoles le corresponden los misterios gozosos; al martes y al viernes, los dolorosos; y al jueves, sábado y domingo, los gloriosos.

Cómo rezar el Santo Rosario

1ᵉʳ paso: Haga la señal de la Cruz mientras dice:"En el nombre del Padre, del Hijo y del Espíritu Santo, Amén".

2ᵈᵒ paso: Mientras sostiene el crucifijo al comienzo del rosario, rece el "Credo de los Apóstoles":

Creo en Dios Padre Todopoderoso, Creador de cielo y tierra, y en Jesucristo, su único Hijo, nuestro Señor. Quien fue concebido por el Espíritu Santo, nació de la Virgen María, padeció bajo el poder de Poncio Pilato, fue crucificado, muerto y sepultado. Descendió al infierno, al tercer día resucitó de los muertos, ascendió al cielo y está sentado a la diestra de Dios Padre Todopoderoso, de donde vendrá a juzgar a los vivos y a los muertos.

Creo en el Espíritu Santo, la Santa Iglesia Católica, la comunión de los santos, el perdón de los pecados, la resurrección de los muertos, y la vida futura. Amén.

3ᵉʳ paso: En las próximas tres cuentas, rece el "Avemaría":

Dios te salve, María, llena eres de gracia, el Señor es contigo; bendita tú eres entre todas las mujeres, y bendito es el fruto de tu vientre, Jesús. Santa María, madre de Dios, ruega por nosotros pecadores, ahora y en la hora de nuestra muerte. Amén.

4ᵗᵒ paso: En la próxima cuenta diga el "Padrenuestro":

Padre nuestro que estás en el cielo, santificado sea tu nombre. Venga tu reino. Hágase tu voluntad así en la tierra como en el cielo. Danos hoy nuestro pan de cada día, y perdona nuestras ofensas como nosotros perdonamos a los que nos ofenden. Y no nos dejes caer en tentación, mas líbranos del mal. Amén.

5to paso: Al comenzar el medallón que une ambos extremos del rosario, rece el "Gloria Patri":

Gloria sea al Padre, al Hijo y al Espíritu Santo. Como era al principio, es ahora y será siempre, por los siglos de los siglos. Amén.

6to paso: Concluya el rosario.

La pauta del rosario comienza en este punto. Diga un avemaría en cada una de las diez cuentas y un Padrenuestro por cada cuenta suelta que hay entre cada serie de diez. Luego de la última avemaría del quinto diez, recite esta oración, con la cual termina el rosario:

"Oh Dios, cuyo único Hijo, por su vida, muerte y resurrección, ha adquirido para nosotros las recompensas de la vida eterna; concédenos, te suplicamos, que al meditar en estos misterios del santísimo rosario, de la Bendita Virgen María, podamos imitar lo que ellos contienen y obtener lo que prometen, por el mismo Cristo nuestro Señor. Amén.

Día de la Raza

❀ ❀ ❀

La contraparte del Día de la Hispanidad o de Colón

Pregúntele a cualquier escolar qué significa el 12 de octubre de 1492 y le responderá—el día que Cristóbal Colón descubrió América. Pero para muchas culturas indígenas en los Estados Unidos y América Latina, esta fecha tiene un significado diferente. No representa el momento en que América fue "descubierta", sino cuando las vidas de los pueblos indígenas, que ya existían en todo el continente y en el Caribe, sufrieron un cambio irreparable. Es por esto que la celebración ha adquirido una mayor connotación política.

El Día de la Raza es como los latinos se refieren a esta fecha. Cuando los latinoamericanos se refieren a "raza" están hablando de sus raíces españolas e indígenas, y el 12 de octubre viene a ser un día para celebrar esa herencia mixta. Los hispanos en los

Estados Unidos han adoptado la fecha, sin embargo, como ocasión para celebrar fundamentalmente sus raíces indígenas y, mientras más historiadores revelan la verdadera naturaleza de ese viaje fatal de España a las islas Bahamas (donde Colón desembarcó por primera vez), más personas se acomodan al concepto que respalda al Día de la Raza.

Entre las actividades excepcionales que se asocian con este día

El desfile latino en Washington, D.C.

Una de las celebraciones más dramáticas del Día de la Raza tuvo lugar en 1996. Dos años antes, los electores de California habían aprobado la Proposición 187, que negaba servicios sociales tales como educación y asistencia médica de urgencia a los inmigrantes ilegales. Este mandato electoral les advertía a los hispanos que la intolerancia hacia ellos en este país salía a la superficie. Cuando el gobierno federal también puso en vigor una ley de reforma a la seguridad social que negaba servicios a los inmigrantes legales, las cosas alcanzaron el límite. Los líderes populares percibieron que el gobierno necesitaba saber que los hispanos no apoyarían ningún tipo de discriminación. Fue así que organizaron la concentración en Washington, D.C.

(continúa)

El 12 de octubre de 1996, 100 mil hispanos se congregaron en la capital de la nación. Desfilaron desde el barrio predominantemente hispano de Adams Morgan hasta la elipse que se encuentra al fondo de la Casa Blanca, llevando pancartas que decían cosas como éstas: "No desembarcamos en Plymouth Rock. Plymouth Rock desembarcó sobre nosotros" y "¿Quién es el inmigrante, peregrino?", con lo cual los manifestantes esperaban resaltar su ancestro indígena, su orgullo étnico y su solidaridad. Se valieron del concepto de Día de la Raza para dar una muestra del acrecentamiento de su fuerza. Era el grupo más grande de latinos que jamás se hubiera reunido en la capital, y ello era una demostración del poder de la solidaridad hispana.

se incluyen bailes indígenas, limpiezas (o limpias) espirituales y fabricación de máscaras. La solemnidad del día se percibe de manera muy viva aunque, y por esta razón, el Día de la Raza se ha usado para promover causas y para ilustrar a la gente sobre la herencia hispana en este país.

Puesto que los norteamericanos ya celebran el Día de Colón (*Columbus Day*), el Día de la Raza tiene muchas posibilidades de ser aceptado como una celebración cultural. En Norteamérica, el devastador impacto de la colonización europea sobre las sociedades indígenas no estuvo tan sólo en manos de los españoles. El concepto de Destino Manifiesto les dio a los ingleses el derecho moral a la ocupación, usualmente forzosa y vestigios de esa actitud aún subsisten. Con esto en mente, podría llegar el día en que la celebración del descubrimiento (el Día de Colón) tome en cuenta las sociedades que existían en el Nuevo Mundo, y no sea solamente una fecha para recitar el cuento de las tres carabelas—La Niña, La Pinta y La Santa María.

¿Quién posee a Colón?

Para la cultura promedio de los Estados Unidos, el Día de Colón (*Columbus Day*) representa poco más que un día feriado. La ceremonia más importante asociada con la fecha tiene lugar en las escuelas primarias, donde los maestros pueden mostrar láminas del encuentro de Colón con los miembros de la tribu taína que habitaba las islas del Caribe. Sin embargo, en las colonias ítaloamericanas, Cristoforo Columbo, natural de Génova, Italia, es acreedor de grandes honores. Desfiles y festivales comunitarios se celebran en su homenaje, y así hacen también algunas sociedades fraternales, como los Caballeros de Colón, una organización católica.

Los hispanos que viven en los Estados Unidos existen algunas discrepancias sobre el verdadero legado de Colón. Debido al deseo de presentar más pruebas que tracen la historia de los hispanos en este país y confirmen que precede a cualquier otro grupo inmigrante, ingleses y franceses inclusive, se destacan mucho los nexos españoles de Colón. El argumento es que la reina Isabel I (de Castilla) fundó la empresa, y aunque Colón nació en lo que hoy día es Italia, él la abandonó siendo un adolescente y adoptó a España como su patria. Sus escritos estaban en español y gritó "tierra" en esta lengua al avistar, por primera vez, el territorio americano.

En la ciudad de Nueva York hay una amistosa competencia entre las colonias hispana e ítaloamericana sobre qué grupo tiene la mejor celebración del Día de Colón. Establecido en 1944, el desfile del Día de Colón de los ítaloamericanos tiene un largo historial y ha llegado a ser un importante hito de campaña para los políticos que andan en busca del voto ítaloamericano. El desfile hispano del Día de Colón tiene una historia más breve—data de 1964—, pero sus organizadores son igual de fervorosos respecto a su celebración. "No entendemos lo que celebran los italianos", declaraba Elis Illescas, organizador del desfile, en un artículo publicado en el diario *New York Times,* el 14 de octubre de 1996. "Todo el mundo sabe que el descubrimiento fue una empresa enteramente española. Basta que se fijen en nosotros. ¿Qué idioma hablamos? ¿Qué apariencia tenemos? Italia nada tiene que ver con eso".

En el mismo artículo, el presidente del desfile, Frank G. Fusaro, resumía el punto de vista de los ítaloamericanos. "Comprendo por qué los hispanos quieren asociarse con Colón", dice él. "Algunas personas también dicen que era judío. Creo que los únicos que no lo han reclamado son los rusos. Pero el hecho que importa es que él era italiano".

El Día de la Raza mira a los entresijos del 12 de Octubre, y esta dicotomía se radicalizó aún más en torno al V Centenario de la fecha del desembarco de Colón celebrado en 1992. El gobierno de los Estados Unidos organizó un comité, la Comisión del Jubileo del Quinto Centenario de Cristóbal Colón, para organizar una celebración nacional que rivalizaría con las fiestas del bicentenario de la independencia, dieciséis años antes. España, el país que auspició el viaje de Colón, también participó en el V Centenario, no sólo donando fondos para la comisión del jubileo, sino auspiciando una feria mundial dedicada a la memoria de Colón. Se construyeron réplicas de las tres naves, La Niña, La Pinta y La Santa María, que quedaron atracadas en Sevilla mientras otra segunda flotilla con otras tres réplicas salía a navegar y rehacía la ruta del viaje original. Sin embargo, la celebración del aniversario en los Estados Unidos no fue recibida con el mismo entusiasmo; de hecho fracasó.

Agrupaciones de nativos, tanto en Norte como en Sudamérica protestaron inmediatamente. Arguyeron que glorificar lo sucedido en 1492 significaría ignorar el altísimo precio que debieron pagar las civilizaciones indígenas. Por ejemplo, los países del Caribe, como Puerto Rico, Cuba y las Bahamas no tienen ninguna civilización nativa hoy día. La nación taína, la que primero encontró Colón en el Caribe, resultó completamente aniquilada. La gran civilización azteca en México, y los incas de Perú resistieron la invasión española durante un tiempo, pero finalmente, el asesinato en masa produjo su conquista definitiva. Este tipo de genocidio necesitaba ser reconocido, insistían los que se oponían al V Centenario.

Hans Koning escribió una biografía de Colón que era muy crítica del explorador. En *Columbus: His Enterprise; Exploding the Myth* (Monthly Review Press: Nueva York, 1991) escribe: "Es casi obsceno honrar a Colón porque es una absoluta historia de horror. No tenemos que honrar a un hombre que fue realmente—desde un punto de vista indio—peor que Atila el Huno". Incluso el Consejo Nacional de Iglesias de Cristo instó al comité del jubileo a celebrar la fiesta con discreción. "Para los descendientes de los sobrevivientes de la invasión, el genocidio, la esclavitud, el 'ecocidio', y la explotación de las riquezas de la tierra que siguieron [al viaje de Colón] una celebración no es una conmemoración adecuada de este aniversario".

Algunos municipios tomaron decisiones agresivas contra el V Centenario. En el estado de California, los ayuntamientos de Berkeley, Pasadena, Santa Cruz y Oakland aprobaron resoluciones en que sustituían el Día de Colón por el Día de los Pueblos Indígenas. En Dakota del Norte, el Día de Colón fue rebautizado como Día del Americano Nativo y en 1992, en Miniápolis, Minnesota, los funcionarios municipales aprobaron una resolución que condenaba a Colón e instaba al reconocimiento del legado de los norteamericanos nativos.

En Denver, las celebraciones del Día de Colón habían sido patrocinadas por la colonia ítaloamericana de la ciudad, a través de los Caballeros de Colón y la Federación de Organizaciones Ítaloamericanas de Colorado. Sin embargo, con el V centenario, la oposición al Día de Colón del Movimiento de Indios Americanos (AIM en inglés) comenzó a intensificarse, y en reconocimiento a sus preocupaciones, la colonia ítaloamericana optó por cancelar el tradicional desfile del Día de Colón en Denver. El desfile no ha vuelto y posiblemente nunca vuelva, pero las agrupaciones ítaloamericanas de Denver han inventado una actividad pequeña para la fecha como recaudación de fondos para sus organizaciones. "No disputamos quién llegó a América primero. Ésta es realmente una celebración de nuestra herencia italiana", dijo Danny Rupoli en un artículo del rotativo *Denver Rocky Mountain News* en 1997.

Pero para los hispanos ya existía una celebración que incorporaba el cataclismo cultural del cual surgimos. En el espíritu del Día de la Raza, una agrupación defensora del indigenismo latinoamericano, el cuerpo coordinador de las Organizaciones de Pueblos Indígenas de la Cuenca del Amazonas (COICA) organizó eventos pacíficos, introspectivos, para conmemorar el aniversario. Celebraron lo que denominaron un "encuentro continental" en el que bosquejaron modos de argüir contra las celebraciones del V Centenario, lo cual incluía la creación de una Sevilla alternativa en México. "Queremos recuperar nuestra historia, afirmar nuestra identidad, lograr una verdadera independencia de la explotación y la agresión, y desempeñar un papel en la determinación de nuestro futuro", dijo Evaristo Nugkuag, Presidente de COICA, en un artículo de la revista *Time* en 1991. La reacción al V Centenario dio lugar a que el nombre de Día de la Raza lo cambiaran por el de "Día del Encuentro de Dos Mundos".

Algunos latinos optaron por centrarse en las consecuencias actuales del viaje de Colón, más bien que en su impacto inicial. En lugar de lamentar exclusivamente la pérdida cultural de la que responsabilizan a Colón, algunos han procurado una conclusión, un modo de reconciliar lo que ocurrió con las dificultades a que se enfrentan los latinos hoy día. Innegablemente, arguyen algunos, los hispanos surgimos de este choque cultural, ¿por qué no vamos a celebrar su singularidad? Unos cuantos años después del V Centenario, las pasiones seguían exaltándose cada 12 de octubre. En la columna que escribió para la publicación *National Minority Politics* en 1994, Roger E. Hernández razonaba: "Los admiradores de Colón lo llamaron el Descubrimiento de América; para sus detractores fue una invasión; aquellos que pretendían ser neutrales buscaron un arreglo y se se les ocurrió el 'Encuentro'". Y prosigue, "Los hispanos que condenan el Día de Colón condenan justamente la masacre, pero yerran cuando pretenden que ellos no son más que víctimas del despiadado colonialismo europeo. Son, gústeles o no, los herederos culturales de los colonizadores españoles, no de las colonizadas civilizaciones precolombinas".

Día de la Raza

En 1968, los miembros de la agrupación hispana (*caucus*) del Congreso establecieron la Semana de la Herencia Hispana. No sabemos exactamente cuándo los hispanos de los Estados Unidos adoptaron el Día de la Raza, pero la festividad ciertamente adquirió relevancia en 1988 cuando el Congreso extendió la Semana de la Herencia Hispana a todo un mes de celebraciones, del 15 de septiembre al 15 de octubre, incluyendo el Día de la Raza. Amelia Malagamba, profesora de historia del arte en la Universidad de Texas en Austin, ofrece sus propias teorías respecto a la evolución del Día de la Raza en este país. Al igual que las celebraciones del Día de Colón en los Estados Unidos, "el Día de la Raza comenzó como una fecha para conmemorar 'el descubrimiento' de América en Latinoamérica", lo cual conllevaba una mayor ironía, dice Malagamba, puesto que era, en un sentido, "una celebración de la conquista, de la aniquilación de la población [aborigen], pero también un reconocimiento del mestizaje (del choque de dos culturas que produjo una nueva raza)".

La fiesta se convirtió en una práctica general a través del currículo escolar, que enseñaba a los niños acerca del viaje de Colón a América. "En los años cincuenta y sesenta se difundió aún más con la publicación del *Libro de texto único* que divulgó el gobierno (mexicano) y que celebraba la llegada de Colón a América", explica Malagamba. "Este texto ofrecía una descripción estandarizada de lo que los niños aprenderían sobre Colón".

Otro libro de naturaleza totalmente distinta también alcanzó una gran popularidad entre muchos filósofos y activistas de la época—*La raza cósmica,* de José Vasconcelos. Este tratado exponía los valores comunes compartidos por América Latina, que el autor describía como un solo gran continente unido por una lengua y una historia comunes gracias a Colón. Esto plantó la semilla del orgullo cultural y añadió una connotación política a la palabra *raza,* que se expandía para incluir etnia y color de piel. En este punto los conceptos de Colón y raza se distinguieron y se separaron.

En los Estados Unidos, entre las décadas del treinta y el cuarenta, se estaba produciendo otra experiencia social que también afectaría algunas percepciones en México y en algunas partes de América Latina—el Movimiento Pachuco. "Pachuco" era una palabra española que se usaba para describir a un mexicoamericano de clase baja que alardeaba de una actitud insolente y de un estilo singular. Sus hijos se convertirían en los chicos vestidos de chaquetas enormes y pantalones anchísimos décadas después. El término evolucionó para definir un movimiento, dice Malagamba, cuando muchos de estos hombres comenzaron a servir en las fuerzas armadas de los Estados Unidos durante la Segunda Guerra Mundial, y regresaron al país para ser tratados como menos que ciudadanos. El American GI Forum, una organización que aún lucha por los derechos de los veteranos hispanos, nació en Texas por esa época. Cuando una funeraria local rehusó preparar el cadáver de Félix Longoría, un veterano condecorado, el doctor Héctor García recabó la ayuda del entonces senador federal Lyndon Baines Johnson, que logró que Longoría fuese enterrado con honores en el Cementerio Nacional de Arlington. García prosiguió su tarea hasta fundar el American GI Forum. "Los pachucos estaban luchando por ser reconocidos", dice Malagamba. "Su identidad se hizo sinónimo de la palabra *raza,* y su jerga (palabras como *carnal, ese* y *vato*) se convirtieron en el idioma de los pobres".

En México, los comediantes comenzaron a copiar también esa jerga y acuñaron la pregunta "¿Eres tu *raza*?", lo cual cambiaba el sentido de la palabra *raza,* que ahora venía a significar "masas". La pregunta en realidad tiene varias capas, dice Malagamba. "Pregunta, 'Oye, tú, ¿eres parte de lo que yo soy? Si es así, entonces puedes venir conmigo'". Esta actitud pavimentó el camino para el Día de la Raza en América Latina, y para las colonias latinas en los Estados Unidos, para cambiar la celebración del Día de Colón en algo completamente diferente.

En los años 50 y 60, el Movimiento Chicano comenzó a cuestionar el *status quo,* y aunque era un movimiento político, también era un movimiento social. La misión principal del Movimiento Chicano era darle poder a los latinos. Para lograr esto, los latinos tenían que ser alentados a buscar en el pasado de sus raíces indígenas, a los que habitaron y civilizaron América, y no a los que vinieron de Europa y los conquistaron. Porque el movimiento era antieurocéntrico, el Día de la Raza ofrecía un medio de promover la filosofía chicana centrándose en la herencia indígena de los latinos. "Se convirtió en una celebración de nosotros, de quienes somos hoy", dice Malagamba.

Según Ramón Vázquez y Sánchez del Centro Cultural de Aztlán en San Antonio, la razón por la cual los latinos celebran el Día de la Raza es: "Para reconocer que somos la gente del Hemisferio Occidental. El Día de la Raza festeja nuestra raíces, que nuestras raíces están aquí [en el Hemisferio Occidental]. Hasta hace poco, a cualquier cosa que tuviera que ver con los indios se le daba una connotación negativa. El Movimiento Chicano quería cambiar eso mirando a la civilización que existía antes de la llegada de los españoles".

La celebración tenía (y aún tiene) un singular atractivo para las organizaciones populares tales como el Sindicato de Trabajadores Agrícolas Unidos (UFM) que aprovechaba la ocasión para hacer manifestaciones de sus seguidores. El UFW proponía que los trabajadores agrícolas incorporaran la relación indígena con la tierra y su legado de productos alimenticios tales como el maíz, los tomates, las patatas y el chocolate. El Día de la Raza sigue existiendo políticamente con la intención de llamar la atención al hecho de que para muchos latinos de piel oscura, los efectos de la conquista— discriminación y abandono—persisten todavía.

El Día de la Raza en la actualidad

La mayoría de las celebraciones del Día de la Raza se centra en los valores indígenas, como el aprecio a la Tierra, y el aprendizaje de los líderes aztecas así como de los conquistadores españoles que vinieron después de Colón. También se reviven las danzas y ceremonias tradicionales indígenas como parte de la celebración. "El espíritu del Día de la Raza sigue siendo sombrío", dice Malagamba.

Ojo de Dios

El Día de la Raza es claramente único entre las fiestas hispanas. Debido a la seriedad de su carácter, es difícil vincular este día a ninguna otra actividad, puesto que tiene que ver mucho más con la introspección que con una abierta celebración. El propósito de este día es rendir homenaje al legado de cultura indígena de la cual cada hispano de este país es portador. En ese espíritu, hay una antigua artesanía indígena que todavía se le enseña a los niños—el ojo de Dios.

Creado casi exclusivamente por los indios huichol en las montañas de la Sierra Nevada, cerca de Jalisco, México, el ojo de Dios tiene una gran significación religiosa. Tiene la figura de una cruz y está unido al centro por una hilaza, tejida con la forma de un diamante. Al final de la cruz hay cruces más pequeñas, unidas también por un tejido en forma de diamante. "El ojo de Dios se usa para garantizar la salud y la larga vida de los niños. Es la vara mágica—el ojo—a través del cual el ojo de Dios entrará en el suplicante", escribe Marion Harvey en el libro *Crafts of Mexico* (Macmillan Publishing Co., Inc., Nueva York, 1973). Aunque los huichol estuvieron de algún modo influidos por el cristianismo, la forma de la cruz no es una referencia cristiana, agrega Harvey, representa más bien los cuatro puntos cardinales o cuatro elementos: la tierra, el fuego, el agua y el aire.

Para comenzar a hacer un ojo de Dios, elija hermosos y brillantes colores, pero no más de tres. La hilaza debe ser de una sola trenza y necesitará aproximadamente dos madejas, o una por cada color. Antes de intentar hacer la cruz más compleja con cinco estrellas, practique haciendo una cruz con la figura del diamante en el centro. Necesitará dos clavijas—una de 15 pulgadas de largo y otra de 25 pulgadas de largo. Ambas deben ser de un cuarto de pulgada de diámetro.

(continúa)

Pasos

1. Alinee las clavijas de 25 pulgadas y 15 pulgadas que queden paralelas y al mismo nivel en un extremo. Sin anudarlo, envuelva el hilo (unas seis veces) alrededor de las clavijas en el centro de la clavija más corta. Luego tuerza las clavijas en ángulos rectos de manera que configuren una cruz.

2. Verifique si el centro del diamante es tan grande como usted lo quiere. El hilo debe estar tenso, pero no tanto que las clavijas tiren en una u otra dirección.

3. Para hacer el centro grande del diamante, parta desde el principio y simplemente envuelva el hilo en torno a las dos clavijas varias veces más antes de convertirlas en una cruz.

4. Luego de hacer el centro que se desea y de torcer las clavijas, comience a envolver el hilo por debajo y por encima de la clavija central, moviendo la otra clavija en dirección contraria a las manecillas del reloj. Mantenga el hilo tenso y cerciórese de que las hebras se alineen y no se superponen.

5. Para cambiar de color, corte o rompa el hilo, pero no lo zafe de la clavija. Conecte ese extremo al extremo del hilo del otro color con un nudo cuadrado y tuerza el final sobrante del primer color alrededor de la clavija antes de comenzar a tejer de nuevo, para disimular el nudo.

6. Siga tejiendo hasta que el diamante central tenga de 2 1/2 a 3 pulgadas de ancho o hasta que el ojo tenga el tamaño que usted desea. Termine la cruz envolviendo varias veces el hilo debajo de la clavija central antes de anudarlo.

(continúa)

7. Una vez que se sienta confiado con el proceso del tejido, puede añadir los diamantes más pequeños, valiéndose de cuatro clavijas más cortas de 3 3/4 pulgadas de largo cada una.

8. Repita los primeros cinco pasos para los diamantes más pequeños, situándolos en el borde exterior de la parte central previamente tejida.

9. Cuando termine de tejer los diamantes más pequeños, envuelva el hilo en la clavija en dirección al diamante central y anúdelo en el reverso.

10. Cuando el ojo esté completo, disfrace las clavijas envolviéndolas con el hilo y oculte los nudos en el reverso.

Una vez que usted haya dominado la técnica del tejido, puede intentar algunas variaciones, tales como añadirle textura, volviendo la cruz y tejiendo en el reverso. Esta técnica es estupenda en los modelos monocromáticos. Añadir también unas borlas en los extremos sirve para rematar vistosamente el ojo de Dios.

"Reconoce la muerte de los nativos, pero también la resolución dialéctica de aceptar el mestizaje. Los que se identifican con ser parte de *la raza* son parte de esa experiencia".

La mayoría de las celebraciones del Día de la Raza resalta temas de adquisición de poder, de espiritualidad y de historia. Éste es un día en que los hispanos eligen reafirmar su orgullo cultural que, en lo que a ellos respecta, ha sido pasado por alto u olvidado.

2 DE NOVIEMBRE

Día de los Muertos

❋ ❋ ❋

Celebrando la muerte y la vida

El Día de los Muertos (una celebración indígena mexicana) no debe confundirse con Halloween (el 31 de octubre), el Día de Todos los Santos (el primero de noviembre), ni el Día de los Fieles Difuntos (el 2 de noviembre). Inculcada en las poblaciones nativas de México por los misioneros españoles, la fiesta sí comparte la fecha y las mismas alusiones religiosas que el Día de los Fieles Difuntos, pero sus raíces están firmemente plantadas en el folklore y la tradición nativo. En la medida en que las poblaciones indígenas intentaron asimilar las doctrinas de los curas con sus propios ritos religiosos, un choque de energías espirituales resultó inevitable. Así pues, las tribus mexicanas nativas dieron inicio al Día de los Muertos como un modo de continuar su creencia en el círculo de la vida, en el que la muerte desempeña un papel y no debe temérsele. Según fue evolucionando, la fiesta nativa incorporó aspectos de la doctrina católica de la muerte como un fin de la vida mortal y un comienzo a una nueva y mejor vida futura.

En México esta fiesta se celebra de noche y en los cementerios. Las familias de los difuntos hacen ofrendas de comida y bebida y

Calaveras por todas partes

La representación más importante del Día de los Muertos es el símbolo clave de la muerte, la calavera [que en el lenguaje popular suele aplicarse también a todo el esqueleto]. Estas imágenes de esqueletos no son espantosas, sino simbólicas de la vida. En efecto, ayudan a los vivos a aceptar el ciclo vital. Las curiosidades mexicanas que muestran esqueletos empleados en algún tipo de diversión hecha normalmente por los vivos—como tocar en una banda o lavar platos—, expresa el lado cómico más bien que siniestro de la muerte. La calavera aparece por dondequiera, incluso en la comida tradicional del día como el pan de muerto, un pan dulce moldeado con la figura de una calavera y horneado con un esqueleto de plástico en su interior. Ocurre lo mismo con la calavera de azúcar, o el papel picado (banderolas de papel hechas de secciones rectangulares que han sido cortadas, semejantes a copos de nieve de papel, para mostrar al esqueleto en diferentes escenas).

colocan las flores tradicionales, las caléndulas, en cada tumba. Durante estas ofrendas, los miembros de la familia también ofrecen oraciones o les hablan a los muertos. En los Estados Unidos, muchas familias mexicoamericanas hacen una peregrinación a las tumbas de los suyos con ofrendas de flores, pero durante el día, no a media noche. En muchas casas se construyen ofrendas o altares, como recuerdos de los muertos, que contienen objetos que podrían haber sido de las cosas preferidas del pariente difunto. En las *ofrendas* también se encienden velas y se dedican oraciones.

El Día de los Muertos es una de las celebraciones hispanas más místicas, y puede ser la más plena. Representa el encuentro de las creencias paganas y cristianas, pero su mensaje de la muerte como una continuación, no como un fin, puede resultar edificante. La auténtica e irresistible naturaleza de esta tradición cada vez atrae a más personas no latinas, especialmente en el sudoeste de los Estados Unidos.

EL ESQUELETO RUMBERO

Las diferencias culturales pueden cohibirnos de participar en una celebración cultural, en particular aquella que no nos resulta familiar. Cuando viajan a un país extranjero, los turistas suelen percibir de inmediato las diferencias culturales. Por ejemplo, en la India veneran a las vacas, incluso las consienten y, lo que es más importante, nunca se las comen. Tener una vaca es un símbolo de distinción social, y las familias se sacrifican para mantener al animal. En los Estados Unidos, sin embargo, el mismo animal es visto como un ser falto de inteligencia e indigno de cualquier otra cosa que no sea el ser comido. Las especies hasta han sido cruzadas para aumentar su tamaño de manera que puedan producir más carne.

Dentro de los Estados Unidos, se respetan algunas tradiciones culturales aunque difieran de las costumbres norteamericanas. Por ejemplo, cuando comen en un restaurante japonés, donde es costumbre quitarse los zapatos, los clientes norteamericanos no lo cuestionan y observan la costumbre. Sin embargo, estar descalzo en un restaurante es claramente una falta, reforzada a diario por la mayoría de los restaurantes estadounidenses, que orgullosamente cuelgan un letrero que dice: "Sin zapatos ni camisa, no hay servicio" *(No shoes, no shirt, no service)*.

Para los recién llegados a la celebración del Día de los Muertos, la mayor piedra de tropiezo cultural es el símbolo clave del día—la calavera. Pero entender la importancia de la calavera amplía la experiencia del Día de los Muertos porque el icono del esqueleto cobra una enorme significación ese día, no como los marcadores de la muerte, sino como un símbolo del círculo de la vida. La cerámica, las calaveras de azúcar, el pan de muerto y el papel picado todos llevan la imagen del esqueleto.

En este país los esqueletos tienen una pavorosa reputación, asociada usualmente con las imágenes de fantasmas, trasgos y demonios profanadores de tumbas. Representan universalmente la muerte, ya como un Siniestro Destripador, descubierto en un sitio arqueológico, o examinado en la escena de un crimen. Los esqueletos son, literalmente, los últimos restos de nuestros cuerpos físicos y nuestro último nexo con la vida en la Tierra. En efecto, son el desconsolador recordatorio de cuán frágil es el cuerpo humano y de cuán volátil es la vida. Es tal vez por esto que el esqueleto suscita una reacción negativa en la mayoría de los norteamericanos.

Para entender el Día de los Muertos, debemos acercarnos a la imagen del esqueleto con sentido del humor. Podría ayudar el usar la palabra española calavera. En México, especialmente en el estado de Oaxaca, que es famoso por su extravagante celebración del Día de los Muertos, la calavera sigue estando muy apegada al alma de la persona que anduvo en ella mientras vivió y cuya memoria sigue viviendo en las mentes de familiares y amigos.

Pero lo más importante es que la calavera se usa como un instrumento. Aunque los aztecas abordaban la muerte de manera diferente, como parte de la vida y no como su fin, aún la respetaban y posiblemente desarrollaron cierto temor a ella una vez que los españoles comenzaron a inculcarles sus creencias cristianas. Los mexicanos utilizan la calavera para ayudarles a enfrentar el miedo, vistiéndola con trajes típicos y haciéndola aparecer en cuadros bailando, riéndose, o participando en cualesquiera de las actividades que los individuos hubieran realizado en vida. Rara vez la calavera se muestra de una manera amenazante; por el contrario se la muestra en escenas ordinarias e incluso humorísticas.

Las baratijas más comunes que se venden en México con estas escenas (también pueden comprarse en algunos lugares de los Estados Unidos, especialmente en la región del sudoeste) se llaman *calacas.* Los fanáticos del programa de televisión *Northern Exposure* pueden recordar que el personaje Maggie O'Connell usaba calacas en una ofrenda a sus novios que habían muerto. Las calacas vienen de todos los tamaños y pueden hacerse de yeso, de arcilla o de *papier mâché,* y pueden mostrar un esqueleto en toda una variedad de actividades: vestido como un músico, un peluquero o un dentista, por ejemplo.

Las miniaturas hechas de arcilla y alambre se llaman "escenas" y son bastante populares. Al igual que las calacas, suelen pintar una escena o actividad de la vida. En una escena, un diorama en miniatura, los músicos tocan instrumentos, los panaderos hornean, las secretarias escriben a máquina, y los maridos engañan a sus mujeres. Combine este actividad folklórica con el pan de muerto, la calavera de azúcar *candy,* el papel picado, las pinturas, los aretes y los títeres con figuras de calaveras, y verá que claramente los esqueletos son inevitables en el Día de los Muertos y deben aceptarse como parte de la celebración.

El grabador José Guadalupe Posada, cuyas obras inspiraron a

los muralistas mexicanos Manuel Orozco y Diego Rivera, produjo una representación popular de la calavera. Nacido el 2 de febrero de 1852 en Aguascalientes, México, Posada estuvo rodeado de artistas. Su padre era panadero y su tío, alfarero. La propia obra de Posada como litógrafo se considera fundadora de un nuevo estilo, teniendo en cuenta especialmente que su desarrollo en este campo vino cuando el grabado ya había sido casi abandonado en México. Las imágenes que eligió y la audacia de su sátira política también le distinguieron. A veces las calaveras de sus grabados asumen una actitud siniestra, representando a la sociedad oprimida que los mexicanos vivieron bajo la dictadura de Porfirio Díaz. Por lo general, Posada permaneció fiel a la naturaleza de la fiesta, y sus calaveras usualmente muestran a personas haciendo cosas cotidianas, como hacer el amor o beber una cerveza. Sus calaveras retratan lo mismo al hombre ordinario que al hombre famoso, ya sean éstos barrenderos públicos o revolucionarios como Emiliano Zapata.

En un artículo de 1995 de la revista *Hispanic,* René Arceo, director de proyectos especiales del Museo Mexicano de Chicago, le explicaba el fenómeno a la escritora Yleana Martínez. "Para el mexicano, la vida es muerte y la muerte es vida. [Es una] unidad, una parte. Esto difiere de la manera en que ambos son vistas por la mayoría de las civilizaciones occidentales, donde la vida y la muerte nunca se encuentran. Esto no ocurre en México, donde los pueblos indígenas comprendían la naturaleza y [sabían] que eran parte de ella".

La reinvención del Día de los Fieles Difuntos

Aunque el día de los Muertos fue establecido en México por los aztecas, los misioneros españoles lo vieron como algo semejante al

Día de los Fieles Difuntos, día que la Iglesia Católica reserva para recordar a los muertos. Los aztecas ya habían incorporado a los muertos en su teología, de manera que fácilmente aceptaron el concepto de reservar un día para los que habían partido. Algunos estudiosos les reconocen a los misioneros la habilidad de fundir las celebraciones católicas con las de las tribus nativas. Pero eso es casi todo lo que los misioneros consiguieron. Algunas celebraciones nunca perdieron su alma indígena, y el Día de los Muertos es una de ellas.

Los aztecas eran la sociedad dominante en México cuando los españoles llegaron en el siglo XVI. Al principio eran una tribu nómada que se estableció en el Valle de México (la actual Ciudad México, o Distrito Federal) hacia fines del siglo XII, y allí fundaron la ciudad capital de Tenochtitlán. Supuestamente fueron conducidos a este sitio por su dios de la lluvia, Huitzilopochtli, quien les dijo que se asentaran en el sitio donde encontraran una serpiente que estaba siendo devorada por un águila. Este lugar fue el Valle de Anáhuac, y su terreno cenagoso ayudó a loas aztecas a hacerse impenetrables a los invasores mientras construían su imperio. Esta leyenda de la serpiente y el águila sobrevivió y está representada en el escudo y la bandera de México.

Los aztecas tenían su propia historia de conquistas, que incluía a los toltecas, los mixteca-puebla y los zapotecas. A fin de prevenir cualquier mal *karma,* incorporaron las tradiciones de ofrecer sacrificios a los dioses, entre ellos sacrificios humanos. Por la época en que llegaron los españoles, los aztecas habían reconciliado su visión de la muerte como un círculo de vida y habían agregado sus propios festivales para honrar tal creencia. Los aztecas creían que los muertos aún tenían que enfrentarse a pruebas y retos en el ultramundo como parte de su viaje hacia la paz. Pero aún así, la muerte era vista como una liberación de tribulaciones y desafíos aún mayores que se encontraban en la vida. Tradicionalmente, en los funerales los vivos hacían ofrendas y alentaban a los muertos en su camino al lugar de descanso eterno. Puesto que ellos creían que los espíritus podían regresar a la tierra e influir en los vivos, los aztecas celebraban una fiesta cuando los muertos y los vivos se reunían.

No fue un gran avance para los misioneros combinar las dos celebraciones, pero aunque parecía que habían ganado un punto de apoyo para el cristianismo en ese tiempo, la celebración conservó la filosofía azteca. Los misioneros escribieron acerca de los rituales dirigidos a Mictlantecuhtli, el dios de la muerte, y de cómo el ritual se había conservado incluso después de la conquista. La práctica de edificar una "ofrenda", que se considera un umbral entre el cielo y la tierra, propicia la reunión entre los muertos y los vivos en el hogar. Hacer cosas de comer y juguetes con los cuales jugar el 2 de noviembre, elimina el miedo a morir, especialmente de los niños, y le presta al día una atmósfera jubilosa. También anima el retorno de los muertos presentándoles objetos reconocibles y ofreciéndoles su comida preferida. Designar una flor como la caléndula como parte de la tradición, equilibra la atmósfera de fiesta con el simbolismo y el respeto.

El arte del Día de los Muertos

Planear una visita familiar al cementerio puede que no sea algo al alcance de todos, pero existe una opción que puede hacerle más fácil a un novato la celebración del Día de los Muertos. El arte popular y las bellas artes imperan ese día, de manera que muchas organizaciones artísticas han incorporado la fecha en sus calendarios de exposiciones. Algunas organizaciones se concentran en el grabado, entre las cuales se puede incluir la obra de Posada. Otras, en lo que puede ser la forma más primitiva de una instalación, en la ofrenda.

La Galería de la Raza en el barrio de Misión de San Francisco viene organizando una celebración comunitaria del Día de los Muertos desde 1972. La celebración consta de dos componentes: una exhibición de ofrendas y una procesión desde la galería hasta el parque Garfield. "La celebración ha llegado a ser muy multicultural", dice Jaime Cortez, director del programa para la galería. "No espere ver una celebración tradicional del Día de los Muertos. Verá a personas de toda clase de culturas compartiendo una parte de su tradición cultural en lo que respecta a los muertos".

El artista René Yáñez comenzó la exposición levantando la primera ofrenda en el centro. Inicialmente siguió el modelo de las costumbres tradicionales de Oaxaca, con caléndulas, ofrendas de comida, y papel picado. A partir de esa exposición, las ofrendas creadas por artistas, miembros de la colonia y escolares se hicieron cada vez más grandes. Aunque destacan menos al aspecto tradicional, son más comunitarias. La procesión que sigue es una extensión de la exposición de la ofrenda, y fue organizada como respuesta a una necesidad de reconocer a los seres queridos que habían muerto. También resultó estimulada por el hecho de que, por una ordenanza municipal, no existe ningún cementerio localizado en el centro de San Francisco. El más cercano se encuentra fuera de la ciudad, en Colma, California, a unas treinta millas de distancia. Esta distancia hacía prohibitivo para la comunidad hispana visitar un cementerio, de manera que la procesión ayudaba a cumplir con ese requisito. "Esto comenzó porque había una necesidad en nuestra colonia de honrar la tradición y honrar a los muertos", dice Yáñez.

Del otro lado de la bahía, en Oakland, había una carencia semejante, pero según el evento de la galería crecía, la colonia hispana de Oakland sentía la necesidad de regresar a una celebración más espiritual. Cuando el Museo de Arte de Oakland estableció su Junta Asesora Latina en 1994, una de sus primeras sugerencias fue patrocinar una actividad del Día de los Muertos. "Los miembros de la junta sentían que había una verdadera necesidad en la colonia no sólo de auspiciar tal evento en ese lado de la bahía, sino también de tratar de conservar la tradición para futuras generaciones de latinos", dice Bárbara Henry, conservadora principal del Museo de Arte de Oakland. "Muchos miembros de la junta sentían que la tradición se había perdido".

Para captar el espíritu del acontecimiento, los proyectistas priorizaron un componente de marcado acento educativo así como un componente cultural y contrataron a una conservadora invitada, Beatrice Carrillo Hocker. Al igual que la celebración de la galería, la exhibición del Día de los Muertos en el museo se concentró al principio en la ofrenda. Nuevamente no se trataba tan sólo de artistas que creaban las instalaciones; también invitaron a miembros de la colonia y a niños de las escuelas para crear ofrendas. Desde entonces, el museo ha expandido la actividad más allá de una exposición de arte para convertirla en un evento espiritual multidisciplinario. Se añadieron actuaciones en forma de ceremonias. Los líderes espirituales de la localidad presentan ceremonias que han sido tomadas del ceremonial azteca original—desde la salvia ardiente en un ritual de purificación hasta las danzas tradicionales— y cuyo objetivo de reforzar las raíces indígenas de la fiesta. "La educación es parte importante de nuestro evento", dice Carillo Hocker. "Somos muy cuidadosos de que nuestro evento conserve las cualidades tradicionales de la celebración".

El museo ofrece también actividades manuales, de manera que usted puede llevar la celebración a su hogar. Cada año se levanta un arco de caléndulas en memoria de la colonia hispana al estilo de los que se crean en Oaxaca. Algunos hispanos son invitados a escribir una tarjeta dedicada a un ser querido, pegársela a una caléndula y ponerla en el arco. Tienen lugar talleres para instruir a los participantes en la manera de hacer objetos ceremoniales tales como matracas, que se hacen de calabacines secos y arcilla, máscaras en forma de calavera, esqueletos títeres, y marcos de foto de hojalata al estilo mexicano para colocarlos en una ofrenda. Para los interesados en aprender cómo hacer una comida tradicional para una ofrenda, el evento hasta incluye una demostración de cómo se hace una tortilla.

El Día de los Muertos es ahora un acontecimiento regular y el más popular del museo, que atrae a unas 2.500 personas. "La necesidad de compartir el pesar es aún un impulso muy fuerte que atrae a muchas personas a esta celebración", concluye Henry. "El Día de los Muertos apela a la experiencia humana frente al sentimiento de pérdida y dolor, al tiempo que también celebramos la vida".

En la literatura acerca de la celebración del Día de los Muertos en la Galería de la Raza, la profesora Amalia Mesa-Bains escribió: "La memoria que celebra la muerte termina por afirmar la vida. El recuerdo y la ceremonia forman una realidad que fortalece a una comunidad. La celebración del Día de los Muertos ha sido un reconocimiento progresivo de una fuerza vital atada a su propia muerte e historia, semejante a un ciclo interminable de continuidad cultural"; y concluye: "El Día de los Muertos de los chicanos es un signo de lo efímero, siempre cambiante, siempre comenzando".

La muerte puede ser difícil de aceptar. Demasiadas veces, lamentar el fin de la vida refuerza su finalidad y deja a los dolientes sin consuelo. El Día de los Muertos ofrece ese consuelo. Verdadero o no, les da a los afligidos una oportunidad de sumirse a pensar en

Construya su propia ofrenda

Para construir un altar en la casa, decida primero si usted lo quiere en honor de una sola persona o de un grupo de miembros de la familia. Una vez que haya decidido al respecto, el altar necesitará un punto focal, usualmente una fotografía, pero también puede ser un objeto que represente a su ser querido, como un trofeo, una herramienta de su profesión, o algún tipo de obra de arte. La pieza central es la más importante, porque la ofrenda se construye en torno a ella.

El próximo paso es el lugar. Puede preferir hacerlo afuera, pero encuentre un lugar que no resulte accesible a los niños o a los animales domésticos. Podría ser la repisa de la chimenea, un estante de libros, o el pedestal de una planta. Empiécelo en octubre. Puede empezar con sólo una foto, pero intente añadirle todos los días otros objetos que le recuerden a esa persona. Añada un libro, un DC, alhajas, un plecto de guitarra, un amuleto— cualquier cosa que se relacione con la personalidad del difunto—, hasta que llegue a tener una hermosa colección de cosas alrededor de una pieza central. Los miembros de la familia hasta pueden incluir notas personales al ser querido. Deje espacio para las velas, que no deben encenderse hasta el primero de noviembre y deben quedarse prendidas hasta la medianoche del día dos. Escoja velas seguras y evite ponerlas demasiado cerca de objetos inflamables de la ofrenda.

Las caléndulas son las flores tradicionales que se le agregan a la ofrenda, pero usted puede escoger una flor que esté más estrechamente asociada con el difunto. Las flores y los artículos de comida pueden ponerse a última hora. Elija una hora del día para reunir a la familia el 2 de noviembre para pensar en su ser querido y honrarlo. Mantenga la ofrenda hasta que haya pasado el Día de los Muertos. Cada año agregue nuevos componentes, tal vez hasta algunas calacas o escenas.

el ser querido que han perdido e incluso a imaginar que ese ser querido les ha visitado. Irónicamente, aunque muchas doctrinas eclesiásticas, incluida el cristianismo, sostienen la creencia en una vida después de la muerte, el Día de los Muertos la hace parecer más real.

Invierno

El Adviento y un nuevo comienzo

La Fiesta de la Virgen de Guadalupe

Madre venerada de un pueblo nativo

¡Feliz Navidad!

Los latinos celebran singulares tradiciones navideñas

Día de Reyes

Recuperando la Epifanía

La temporada de fiestas gira en torno a la Navidad y al Día de Año Nuevo, y para muchos latinos ésta es una época de fervor religioso, de nexos vecinales y de unidad familiar. El invierno nos trae las celebraciones anuales asociadas con el nacimiento de Cristo, la Navidad y la Epifanía, fiestas precedidas por la estación de Adviento, en que la Iglesia se prepara para el advenimiento de Cristo. El Adviento, al igual que la Cuaresma, es un período penitencial semejante a la Cuaresma, y algunos cristianos lo guardan con oración y ayuno.

Antes de Navidad, a principios de diciembre, comienzan

los preparativos para honrar a la Virgen de Guadalupe. La fiesta de esta virgen es el 12 de diciembre. Ella es un icono mexicano, la llamada "Patrona de América" y símbolo del maridaje entre las creencias indígenas y europeas.

La celebración de Nochebuena es una antigua tradición de la colonia hispana; si bien la Navidad sigue siendo una época de alegría y santidad, la Epifanía y el Día de los Reyes también tienen gran importancia. ¿Por qué tantas casas de barriadas hispanas mantienen sus adornos de Navidad pasado el Día de Año Nuevo? La respuesta es sencilla. Porque para ellos la Navidad no se acaba el 25 de diciembre. La estación termina doce días después, el 6 de enero.

Conocida como la Epifanía, la Fiesta de los Reyes Magos o el Día de Reyes, la fecha significa y celebra la llegada de los tres [reyes] magos a Belén para ver al niño Jesús. Esta fiesta casi ha

desaparecido en las celebraciones populares de este país, pero sigue siendo importante para muchos latinos. Dedicada a los niños, concluye la temporada de Navidad con una nota de optimismo al comienzo del Año Nuevo.

12 DE DICIEMBRE

Fiesta de la Virgen de Guadalupe

Madre venerada de un pueblo nativo

La historia de Nuestra Señora de Guadalupe se recuerda cada año el día de su fiesta, que se celebra el 12 de diciembre. Ella encarna el choque entre el pueblo indígena de México y la Iglesia Católica. La resistencia inicial al trabajo de muchos misioneros católicos y su brazo armado, los conquistadores, resultaba peligroso para muchos nativos solía terminar en derramamiento de sangre y pérdida de la vida. En un empeño para rescatar algunos vestigios de su cultura, los nativos adoptaron una virgen de piel oscura que eligió aparecerse a un indio, en lugar de a uno de los monjes. Incluso transmitió su mensaje en el idioma náhuatl de los nativos, y no en español.

Esta fiesta es un momento de reflexión y de reconocimiento

para los verdaderos creyentes. Al igual que otros días de fiesta que conmemoran a santos y vírgenes, las iglesias locales se encargan de preparar y planificar la procesión, la misa y la fiesta; una oportuni-

Más que una simple cara bonita

En los últimos años, la Virgen de Guadalupe se ha convertido en un símbolo de moda entre los consumidores no católicos. Muchas *boutiques* y tiendas que venden adornos para el hogar, tienen algo—un joyero, un imán para la nevera, o una lámpara votiva—con la imagen de la Virgen de Guadalupe. Nuestra Señora de Guadalupe o, como es conocida entre los latinos, la Virgen de Guadalupe, se alza serenamente en medio de una radiante aura oval de oro, llevando un traje rosado sobre el que se pliega un manto de satín azul salpicado de estrellas. Representada con frecuencia rodeada por las rosas que la caracterizan, constituye un poderoso símbolo femenino que conmueve a muchos. Pero lo que es aún más importante, y lo que la mayoría de los consumidores no pueden darse cuenta, es que este venerable icono representa una afirmación cultural de México y de su población indígena. Madre de América, es ella la única aparición que ha habido de la Virgen en el Hemisferio Occidental.

dad para que cada congregación se sienta más conectada a su fe.
Como se trata de una festividad relacionada con la Iglesia, la "celebración" de la Virgen de Guadalupe varía según la localidad, pero
la celebración de su imagen ocurre a lo largo de todo el año.

LA HISTORIA DE JUAN DIEGO

Según los estudiosos de la [Virgen de] Guadalupe, las pruebas de
un culto nativo a la figura de la Virgen antecede al relato oficial de
su aparición por más de un siglo. La visita de la Virgen fue oficial-
mente documentada y publicada en 1649 por el vicario del santuario, Luis Lazo de La Vega. Un relato en español de otro cura,
Miguel Sánchez, se publicó antes del de la Vega; pero el último se
considera el oficial porque es una interpretación de un testimonio
escrito por los nativos en su propio idioma, el náhuatl. Muchos
eruditos discuten aún sobre la autenticidad de la historia. En su
libro *Our Lady of Guadalupe: Faith and Empowerment among
Mexican-American Women* (University of Texas Press: Austin, Texas,
1994), Jeanette Rodríguez cita la opinión del difunto Ángel
Garibay, especialista en náhuatl, quien llegó a la conclusión de que
el relato de La Vega parte de varias fuentes, algunas de las cuales
están estrechamente asociadas con el hecho en sí, empezando por
el intérprete usado por Juan Diego y el obispo Juan González de
Zumárraga.

La historia comienza en lo que en aquel entonces era las afue-
ras de Ciudad México, en la mañana del 9 de diciembre de 1531,
cuando un indio azteca recién converso llamado Juan Diego se di-
rigía a una misa temprana. Oyó unas aves que cantaban tan bella-
mente que cree tener una visión del paraíso. Oye la voz de una
mujer que lo llama por su nombre y cuando atiende al llamado,
aquella lo lleva a la cima de una colina llamada el Tepeyac, donde
contempla una aparición. Es la imagen de una mujer que resplan-

dece. Su vestido es radiante y su expresión revela amor y compasión. Ella le dice a Juan Diego que es la Virgen María y que necesita que le construyan un templo en ese sitio, y que debe enviar este mensaje al obispo de manera que lo haga construir.

Le dice: "Tengo el ardiente deseo de que construyan un templo, de manera que en él yo pueda mostrar e impartir todo mi amor, compasión, ayuda y defensa, porque yo soy tu madre amorosa. A ti y a todos los que están contigo, a todos los habitantes de esta tierra y a todos los que aman: llámenme y confíen en mí. Yo oiré sus lamentos y remediaré sus miserias, sus penas y sus sufrimientos".

Juan Diego cumplió con los deseos de la señora, pero cuando llegó al palacio episcopal del obispo español, Juan de Zumárraga, lo hicieron esperar. Cuando logra ver al obispo, Zumárraga no le cree. Juan Diego regresa al sitio donde la Virgen se le ha aparecido y la encuentra esperando por él. Él le cuenta que el obispo lo ignoró y le pide que escoja a una persona más importante como su mensajero, alguien que sea respetado y a quien le creerán. La Virgen no se desanima y le pide a Juan que visite al obispo de nuevo al día siguiente y le repita su mensaje.

En su segundo intento, Juan tiene de nuevo que esperar para ver al obispo, pero esta vez Zumárraga le pide más detalles. Le pregunta a Diego que describa a la Virgen, dónde se le apareció, cómo estaba vestida, y qué le dijo. Aunque Juan Diego responde a todo, el obispo decide que su palabra no es lo bastante buena y le pide que le traiga una prueba de que ha visto a la Virgen. Juan regresa al Tepeyac para informarle a la Virgen de su segundo intento, quien le responde: "Muy bien, hijo mío, vuelve aquí mañana para que puedas llevarle al obispo la señal que él ha pedido. Con eso, te creerá y no tendrá más dudas; y sabe bien, hijo mío, que yo te recompensaré por la solicitud, trabajo y fatiga con que has llevado a cabo mi mensaje".

Al día siguiente, a Juan Diego le piden que vaya a visitar a su tío que está moribundo. Pasa al día buscando a un médico que atienda a su tío, pero no encuentra a ninguno, y se da cuenta de que su tío esta a punto de morir. Diego regresa a Tlatelolco para encontrar a un cura que le administre los santos óleos. En la mañana del 12 de diciembre de 1531, Juan Diego sale a buscar el cura. Intenta evitar la colina, sintiendo que su tío necesita atención inmediata, pero la Virgen lo encuentra. Avergonzado, Juan Diego le dice que no desea desairarla, pero que su tío lo necesita. Compadecida de su preocupación, la Virgen le asegura que su tío no morirá, y que en efecto ya ha sido curado.

Una vez que Juan Diego está libre de preocupaciones por su tío, la Virgen le instruye que recoja flores que crecen en la cima de una colina cercana y se las lleve al obispo. Cuando Diego localiza el sitio con las flores a que se ha referido la Virgen, se sorprende de hallarlo todo lleno de rosas, una flor que no crece silvestre en el desierto. Recoge las flores, se las lleva a la Virgen, quien se las pone en su manto o "tilma". Luego le instruye que no abra el manto hasta que esté en presencia del obispo.

Cuando llega al palacio episcopal, los criados del obispo lo hacen esperar de nuevo. Incluso intentan quitarle las rosas, pero Juan Diego se mantiene firme. Cuando finalmente logra ver al obispo, le relata su última entrevista con la Virgen y, en ese punto, deja caer las rosas de su manto, sólo para encontrar que en él ha quedado impreso un retrato de la Virgen. Este milagro es prueba suficiente para que el obispo le crea al campesino. La tilma de Juan Diego sigue expuesta hasta el día de hoy en el santuario construido para la Virgen de Guadalupe en el Tepeyac.

La sagrada imagen

Además del relato mismo, lo más impresionante de la apariencia de esta Virgen morena es la prueba física que revela su imagen. Al igual que el sudario de Turín en Italia, la tilma ha sido sometida a rigurosas pruebas físicas que confirman su autenticidad. El poder de la tilma como un autorretrato de la Virgen se hace evidente a partir de la muchedumbre de fieles que visitan todos los días su santuario en Ciudad México, pero especialmente el 12 de diciembre. Jaqueline Orsini Dunnington, dice en su libro *Guadalupe: Our Lady of New Mexico:* "El milagroso retrato es preservado en un marco herméticamente sellado en la nueva basílica, y es visto anualmente por millones de personas que lo miran desde una cola en constante movimiento. Ningún documento primitivo relacionado con ella inspira tal grado de respeto; ningún himno ni balada transmite su simbolismo con el mismo impacto; ninguna oración real tiene la fuerza de esta imagen visual, sus copias y aplicaciones".

La imagen de esta Virgen es bastante singular. A diferencia de las otras imágenes de la Virgen, más adornadas y suntuosas que se encuentran en distintas partes de Europa, la Guadalupe revela una tácita majestad. Tiene la cabeza ligeramente inclinada hacia la izquierda y los ojos verdosos miran hacia abajo. La piel es olivácea y el pelo es negro. El manto, que le cubre la cabeza y los hombros, es de un brillante azul turquesa, y viste una túnica color rosa. Según las pruebas químicas que le han hecho a la tilma, estos componentes son originales.

Tan temprano como en 1666, un grupo de artistas que estudió la imagen llegó a la conclusión de que no podía haber sido creada por manos humanas. Creían que la representación había sido pintada con demasiada precisión en el lienzo de la tilma como para ser la obra de algún artista conocido. Así fue anunciaron que la tilma era divina. En 1981, dos científicos, Phillip Serna Callahan y Jody Brant Smith, analizaron el manto valiéndose de tecnología infrarroja. En su informe impreso en el Centro de Investigaciones Aplicadas de los Estudios Apostólicos sobre Devoción Popular (CARA), Callahan dice, "No hay ningún modo de explicar ni el tipo de pigmentos utilizados ni el mantenimiento del color y la brillantez de los pigmentos a lo largo de los siglos. Además, cuando consideramos el hecho de que no hay ningún dibujo, medida ni capa de barniz, y que la trama de la tela se usa para dar la profundidad del retrato, no es posible encontrar ninguna explicación [satisfactoria] del retrato por medio de técnicas infrarrojas". Sin embargo, otras partes de la imagen, como el ángel a los pies de la Virgen, la luna negra en cuarto creciente, las estrellas en el manto, el borde dorado del manto, y su aura resplandeciente, han sido añadidas.

Tal vez los resultados más raros los arrojaron las pruebas que les hicieron a los ojos de la Virgen. Entre 1950 y 1980, varios oftalmólogos usaron fotografía infrarroja para retratar sus ojos y luego analizar la imagen en una computadora. Estos llegaron a descubrir que un busto humano aparecía en sus ojos. Ambos ojos contienen imágenes, y si bien las identidades de esas personas no se han verificado, los expertos sostienen la hipótesis de que una imagen es la de Juan Diego, la segunda es la del obispo y la tercera de una negra que puede haber sido una esclava del obispo. Quienquiera que sean estas gentes, representan la mezcla de las razas.

El culto de la Virgen en todo el mundo

Una larga historia está asociada a la tradición, exclusivamente católica, del culto a la Virgen. La Virgen mexicana de Guadalupe no es la primera aparición milagrosa de una Virgen, ni es siquiera la primera Virgen de Guadalupe. La primera celebración de esta Virgen comenzó en España; incluso la raíz del nombre

"Guadalupe" es árabe, la lengua de los moros (aunque ha habido intentos de vincularla con el náhuatl, el idioma de los aztecas).

La veneración de la Virgen no ha hecho más que evolucionar. El primer tributo a María que se registra ocurrió en el año 431 d.C., en el Tercer Concilio Ecuménico de Constantinopla donde María fue declarada Madre de Dios. Recientemente, seis niños croatas de Medjurgorge, Bosnia y Hercegovina (en la antigua Yugoslavia) dijeron haber tenido visiones de la Virgen a partir de 1981 y continuaron teniéndolas hasta 1997. Otras famosas apariciones de la Virgen incluyen la Virgen de la Inmaculada Concepción, que se apareció dieciocho veces en una gruta cerca de Lourdes, Francia, en 1858; y nuestra Señora de Fátima, que se apareció seis veces a tres niños en Fátima, Portugal, entre la primavera y el otoño de 1917. Siempre que, con alguna credibilidad, se ha reportado una aparición de la Virgen, su santuario atrae a muchos visitantes.

La veneración de una deidad femenina no era un concepto completamente nuevo para los aztecas que ya adoraban a una diosa semejante, pero menos benigna, llamada Tonantzin. Pero lo que hace a Nuestra Señora de Guadalupe más extraordinaria y tangible que otras vírgenes patronas es la prueba física del manto que dejó.

Mientras las celebraciones en los Estados Unidos están localizadas, en México la festividad es gigantesca, centrada en el santuario de la Virgen en Ciudad México. Millares de personas hacen la peregrinación a Ciudad México para ver la tilma que tiene su imagen. Se le conoce por diferentes nombres, entre ellos la Madrecita, la Virgen del Tepeyac, la Virgencita y la Reina de América. Como lo explica Dunnington, los múltiples nombres de la Virgen revelan la intensidad de su atractivo. "Hacer inventario de sus muchos epítetos no es un ejercicio de catalogación sino un indicio de que la Guadalupe tiene muchos significados simbólicos, cada uno de los cuales surge de una respuesta particular a su función en el marco religioso de los devotos. Uno de los factores claves en la evolución de su extenso dominio como Reina [o Patrona] de América es esta multiplicidad de identificaciones votivas".

Acaso porque Nuestra Señora de Guadalupe combina el mito espiritual con la prueba física, atrae a un número mayor de personas. Incluso en este país, personas de todas las razas y hasta de todas las religiones parecen sentirse atraídas por su singular imagen y su impresionante historia.

La Virgen española de Guadalupe

Nuestra Señora de Guadalupe hizo su aparición en México en el siglo XVI, pero según Jaqueline Orsini Dunnington, hay pruebas de un culto en España a Nuestra Señora de Guadalupe trescientos años antes. El santuario español se encuentra en el pueblo de Cáceres, situado en la Sierra de Villuercas, en Extremadura (oeste de España), y gobernado por frailes jerónimos desde 1389. Ésta resultó ser la ciudad natal del conquistador español Hernán Cortés, que orquestó la caída del imperio azteca y quien, irónicamente, era devoto de la virgen española.

Tenidas por pruebas de la existencia de la madre de Cristo, la mayoría de las historias asociadas con apariciones de la Virgen María tiene lugar en áreas aisladas y envía un mensaje amable y espiritual del amor y asistencia de la Virgen a los pobres y carentes de poder. En el caso de la Virgen española se dice que se le apareció a un vaquero, y le pidió que cavara en un cierto lugar y construyera un santuario en su honor en un lugar que su imagen le revelaría. Finalmente, el vaquero y otros hombres del pueblo encontraron el sitio luego de cavar en una tumba, donde descubrieron una imagen de la Virgen. Se levantó el santuario y el hijo del vaquero, que había muerto el año antes, fue resucitado por la Virgen ibérica María de Guadalupe.

El nombre *Guadalupe* proviene de una raíz árabe, más bien que de una hipotética raíz náhuatl, que le daría el crédito de su nombre a los aztecas. La raíz *guad* deriva de la palabra árabe *wadi,* que significa "cañada por la que fluye agua hacia un río escarpado". Esto describe el lugar de la zona en Cáceres donde fue vista la Virgen. La raíz aparece en varios ríos y zonas de regiones montañosas en España, tales como *Guadalajara, Guadalquivir* y *Guadiana.*

En la actualidad esta Virgen, cuyo santuario sigue localizado en Extremadura, se conoce como la Virgen reinante de España y lleva un nombre que revela este altísimo honor: Nuestra Señora de Guadalupe, la Virgen de Villuercas, Reina de la Hispanidad, Patrona de Extremadura. Su imagen es mucho más ostentosa que la de la Virgen mexicana. La versión española sostiene un cetro y luce una diminuta corona enjoyada, un manto con bordaduras de oro, y un halo dorado. En otra interesante ironía, se le acredita el haber ayudado a Colón en el gran error de la navegación que le llevó al Nuevo Mundo.

TONANTZIN, MADRE DE LOS DIOSES

En México, la aparición de la Virgen se asoció con la turbulenta situación social que existía en todo el país. La conquista española había comenzado y en 1493 el papa Alejandro IV, en un documento llamado la patronota real, le concedía a España el derecho de convertir a todos los pueblos indígenas al cristianismo. Quince años después, España recibió la autoridad de controlar todas las actividades misioneras en los nuevos territorios, creando una unión, más bien que una separación, entre la Iglesia y el Estado.

En algunos casos, los misioneros se interesaron en sus nuevos conversos y aprendieron más acerca de ellos, incluso a hablar su lengua. El mundo de las deidades aztecas incluía diosas y dioses. Una diosa, Tonantzin, era la madre de todos los dioses. El santuario de la Virgen de Guadalupe fue construido en una colina, el Tepeyac, que también era el lugar que los aztecas reservaban para el culto de Tonantzin. Esta coincidencia ha llevado a la teoría de que los mexicanos adoptaron a la Virgen de Guadalupe como una sustituta de Tonantzin. En su libro *Massacre of the Dreamers* (University of New Mexico Press: Albuquerque, 1994), Ana Castillo escribe: "Puede ser especulación que convertir a la diosa madre, Tonantzin, en la Virgen María como Guadalupe, la Virgen morena, fuera el modo en que el pueblo amerindio mexica (mexicano) intentara conservar sus propias creencias . . . La aparición de Guadalupe es vista como una bendición divina para la raza [el pueblo] y en consecuencia, su estandarte ha precedido las revoluciones por la libertad y la justicia".

Cuando la conquista española se arraigó, los misioneros españoles tradujeron directamente al español cada uno de los códices (antiguos manuscritos) aztecas que encontraron. Fue fray Bernardino de Sahagún el que primero que especuló sobre el culto azteca de Tonantzin y postuló que los nativos habían suplantado a esta diosa.

En un documento escrito en 1576, revelaba su sospecha de que la veneración de la Virgen de Guadalupe representaba una renaciente idolatría. Sahagún estableció la conexión entre el sitio, el Tepeyac, donde fue construido el santuario de Nuestra Señora de Guadalupe, y la colonia donde una vez se había alzado un templo azteca dedicado al culto de Tonantzin. En lo que se consideró un libro definitivo sobre el tema de la Virgen, *Our Lady of Guadalupe: The Origins and Sources of A Mexican National Symbol* (The University of Arizona Press: Tucson, 1995), el autor Stafford Poole reproduce una sección del resumen del fraile: "Ahora que la Iglesia de Nuestra Señora de Guadalupe se ha edificado allí (en el Tepeyac), ellos también la llaman Tonantzin. Cuál pueda ser el fundamento para este uso de Tonantzin no está claro . . . Esto parece ser una invención del diablo para enmascarar la idolatría bajo la ambigüedad del nombre de Tonantzin. Vienen a visitar su Tonantzin desde muy lejos, como en los tiempos antiguos. La devoción misma es sospechosa porque dondequiera hay muchas iglesias [dedicadas] a Nuestra Señora, pero ellos no las visitan. Vienen de tierras distantes a esta Tonantzin, como lo hicieron en épocas pasadas".

Tonantzin era problemática para la Iglesia como la precursora de Guadalupe debido a su temperamento poco amable. Como diosa de la fertilidad, se creía que Tonantzin regía la lluvia y los ciclos lunares, y debido a la importancia de estas fuerzas en la agricultura, le ofrecían sacrificios sangrientos a la diosa. Según Dunnington: "Los poderes y atributos asignados por los aztecas a Tonantzin o a una hermana diosa abarcaban una amplia gama de opuestos: lo terrestre y lo cósmico, lo creativo y lo destructivo. Una diosa amenazante es incompatible con la pacífica naturaleza de la Guadalupe. Ciertamente, los benévolos atributos femeninos de Tonantzin quedaban sometidos a su ferocidad".

Los estudiosos aún no están de acuerdo si los aztecas reemplazaron a Tonantzin con Nuestra Señora de Guadalupe, pero apenas hay discrepancia respecto a que la historia de la aparición de la Guadalupe comenzara por los nativos. Después de todo, fue a uno de ellos a quien ella eligió aparecérsele.

Oración a la Virgen

Hay no católicos que van a misa el 12 de diciembre para celebrar [la festividad de] la Virgen de Guadalupe. Y hasta muchos no católicos encuentra su imagen atractiva y adornan sus casas con ella. Sin embargo, para apreciar a la Virgen de Guadalupe hay que conocer su historia. Ella ha representado la compasión y el amor para un país que ha sido testigo de mucha intranquilidad y sufrimiento desde su conquista inicial. El hecho de que se le apareciera a un indio recién convertido, que le hablara en su lengua nativa y que su imagen refleje el mestizaje es culturalmente importante. A personas de todas las fes y de todas las posiciones económicas, la Virgen de Guadalupe les ofrece esperanza. He aquí una oración para ofrecerle a la Virgen de Guadalupe, con gratitud y con amor.

Virgen de Guadalupe
Virgen Morena,
Madre del Salvador,
eres la Reina de mi linda canción.
Gracias te damos
al dignarte escoger
a nuestro suelo
para morar en él.
Gracias te damos,

(continúa)

gracias por tu bondad.
México entero
hoy se rinde
a tus pies.
entre las rosas
tu imagen se grabó
en esta tilma
que veneramos hoy.
Virgen sin mancha,
Virgen de Guadalupe,
tu nombre es gozo,
eres toda bondad.
Entre las rosas ...

¡Feliz Navidad!

❄ ❄ ❄

Los latinos celebran singulares tradiciones navideñas

La fiesta más irresistible de la sociedad cristiana debe ser Navidad. En los Estados Unidos, esta fiesta ha eclipsado a todas las demás en visibilidad, rentabilidad y atractivo. No todo el mundo participa de la celebración del Día de San Patricio, e incluso la Pascua de Resurrección ocasionalmente pasa sin mucho estruendo, pero las familias cristianas—e incluso muchas no cristianas—no dejan pasar la Navidad sin comprar regalos, tender luces, adornar árboles o colgar calcetines [para Santa Claus].

Pese a las modas del mercado, la Navidad ha conservado algo de su buena voluntad original. Desde primos terceros a organizaciones sin fines lucrativos, todo el mundo se beneficia del espíritu de dar que permea esta estación. Las familias también se acercan

Flores de Pascua

En México, los aztecas apreciaban la flor de Pascua (de Navidad) a la que llamaban *cuetlazóchitl*, que también se conoce por la flor de Nochebuena. En los Estados Unidos se les llama *poinsettia* en honor de Joel R. Poinsett, estadista, botánico *amateur* y primer embajador de los Estados Unidos en México, que trajo algunas muestras de la planta en 1829. Nativa del desierto mexicano y de América Central, la planta no se adaptó bien al clima del estado de Carolina del Sur donde vivía Poinsett. Un siglo después, otro hombre, Paul Ecke, un granjero de Los Ángeles, comenzó a cultivar la flor de Pascua como una planta para macetas.

¿Cómo se convirtió esta planta en la flor típica de la Navidad? Algunos dicen que los monjes franciscanos le otorgaron esa distinción en el siglo XVII. Otros se lo atribuyen a una pobre niña mexicana que deseaba llevar flores a una iglesia por Navidad, pero no podía pagarlas y rezó pidiendo ayuda. Se le apareció un ángel y le instruyó a que reuniera algunas malezas y las llevara como una ofrenda. Según ella se acercaba a la Iglesia, las hierbas se fueron transformando en flores de Pascua. Pero, según el escritor Matthew Holm, "La verdadera historia de cómo la

(continúa)

poinsettia se convirtió en una flor de Navidad es sólo romántico cuando se mira retrospectivamente ... Paul Ecke viajaba por el país, promoviendo y vendiendo sus plantas, convenciendo a los plantadores, los mayoristas, los minoristas y finalmente a los amantes de las flores que la *poinsettia* era un magnífico regalo y una vistosa y colorida iniciativa para la estación navideña".

en esta fiesta, participando en actividades colectivas, como adornar un árbol, cantar villancicos, o hacer bizcochos. La Navidad hace aflorar nuestras tradiciones con creces, y lo mismo les ocurre a las familias hispanas. Estas tradiciones varían mucho de familia en familia. Los tres grupos hispanos principales en los Estados Unidos—puertorriqueños, mexicoamericanos y cubanoamericanos—celebran versiones únicas de la tradición navideña.

La Navidad puede tener sus elementos comerciales, pero sigue siendo una fiesta cristiana con raíces religiosas. Para los latinos, las tradiciones como la Misa del Gallo y las escenas de la Natividad con Jesús, María, José, los pastores y los tres reyes magos son muy importantes. Por supuesto, entremezcladas con los aspectos comerciales y espirituales de la Navidad están las tradiciones de cada familia.

Las navidades latinas tienden a centrarse en la parte espiritual de la fiesta. Para empezar, la Navidad tiene varios nombres en español: Navidad, Navidades o las Pascuas. La celebración suele comenzar con el Adviento y alcanza su clímax en Nochebuena, cuando las familias asisten a la misa de medianoche o Misa del Gallo. Desde la representación religiosa de la peregrinación de María y José por Belén en busca de abrigo llamada *posadas,* al maratón de villancicos celebrado en Puerto Rico y al que llaman *asalto navideño* o *parranda,* al sentido religioso en las celebraciones hispanas.

La comida es también un elemento esencial y universal en la Navidad. Incluso en este país donde la gente vive tan consciente de su propia imagen, muchas personas aceptan aumentar de peso y se olvidan de la dieta a fin de disfrutar de la fiesta. Las familias hispanas preparan deliciosos menús tradicionales sin los cuales la Navidad sólo sería como otro día cualquiera. Las familias mexicoamericanas cocinan tamales; los puertorriqueños tienen un plato semejante, los pasteles puertorriqueños, que le da un toque tropical a la misma receta; y las familias cubanoamericanas pasan el día perfeccionando su plato principal de la fiesta, el lechón asado. Como cada vez más generaciones de latinos se asientan en los Estados Unidos, aumenta también la necesidad de perpetuar estas costumbres.

NAVIDAD EN EL CARIBE

En Cuba y Puerto Rico, la temporada navideña se celebra más el 6 de enero que el 25 de diciembre. En Cuba, la Navidad ha resurgido como una fiesta recientemente, después de que el dictador comunista Fidel Castro la prohibiera durante años. Las casas no podían ser adornadas ni se podían intercambiar regalos durante esos días. La única tradición que permaneció fue la misa de medianoche, e incluso, a ésta se asistía en secreto. Según Charito Calvachi Wakefield, autora de *Navidad Latinoamericana/Latin American Christmas* (Latin American Creations Publishing: Lancaster, Pennsilvania, 1997), "Las tradiciones navideñas en Cuba sobrevivieron sólo dos años después de la revolución de 1959. Cuando el sistema marxista se implantó, todas las raíces de las tradiciones navideñas fueron destruidas . . . Para la mayoría de la gente [en Cuba] la Navidad era como cualquier otro día".

El empuje de una fiesta tan importante no pudo ocultarse definitivamente. Pese a la presión gubernamental, muchos cubanos continuaron practicando su fe católica y en 1988, un anhelo de sus adherentes se hizo finalmente realidad. En 1997, el papa Juan Pablo II dio a conocer sus planes de visitar Cuba; sería la primera vez que un papa pondría pie en la isla. Las presiones económicas y globales daban su fruto con el enigmático dictador, y el país se preparaba para recibir al Papa con entusiasmo. Luego del histórico viaje del papa Juan Pablo II a Cuba, en enero de 1998, el gobierno revocó su posición y el primer concierto público de Navidad se celebró en La Habana en diciembre de ese año.

En los Estados Unidos, los cubanoamericanos abordan la fiesta de la manera usual, con luces y árboles de Navidad, escenas de la natividad y reuniones de familia. En efecto, debido a la cercanía de Cuba a los Estados Unidos, muchas tradiciones norteamericanas u "occidentales", como Santa Claus y el árbol de Navidad ya habían sido adoptadas en Cuba. La Nochebuena (o víspera de Navidad) es el punto central de la fiesta para los cubanoamericanos, aunque algunas familias también celebran la Epifanía el 6 de enero. En Nochebuena, la familia se reúne para una comida tradicional y luego se departe socialmente hasta que llega la hora de la misa de medianoche. "En casa de mi familia [en Nochebuena] en La Pequeña Habana de Miami, todos mis parientes se reúnen el viernes para comer, intercambiar regalos y hacer viejos cuentos", escribe Miguel Pérez en un artículo publicado en *The Record,* un diario de Nueva Jersey. "Con varias adiciones norteamericanas sentadas en sus rodillas, mis familiares celebran de la misma manera que lo hacían en Cuba: oyendo villancicos en español, cubriendo el árbol de Navidad con luces intermitentes y refulgentes lentejuelas, y armando un nacimiento que nos recuerde el verdadero sentido de la Navidad".

Las parrandas puertorriqueñas

Lo más singular de la celebración de la Navidad en Puerto Rico son las fiestas vecinales de villancicos llamadas "asaltos navideños" o "parrandas". Éstas pueden tener lugar a lo largo de toda la estación

Luminarias tradicionales

La costumbre de las "luminarias" comenzó en Nuevo México con los indígenas, que adaptaron la celebración de las fogatas a la Navidad. En lugar de una fogata gigantesca, ponían pequeños fuegos fuera de las iglesias y los pueblos. Cuando las linternas chinas comenzaron a llegar a la zona a principios del siglo XIX, pusieron las luminarias en bolsas de papel. En la actualidad se consiguen como adornos para exteriores que se producen masivamente—guirnaldas de luces dentro de bolsas plásticas—, pero en Nuevo México todavía se conserva la tradición de llenar la mitad de una bolsa de arena, nivelarla, y luego ponerle una vela encendida dentro. Es fácil hacer esta tradicional linterna navideña. El truco consiste en poner bastante arena en la bolsa y abrirla completamente y dejar que las velas queden bien fijas y no se apaguen. Siga estas sencillas indicaciones:

(continúa)

1. Use bolsas corrientes de papel de estraza. Abra cada bolsa y vierta una taza de arena en el fondo de la bolsa.

2. Ponga las bolsas cada dos o tres pies a lo largo de una curva, de la entrada de coches o del camino que desee adornar.

3. Ponga pequeñas velas votivas en el centro de cada bolsa, agregándole un poco más de arena para asegurar que la vela se sustente bien.

4. Encienda las velas con un fósforo largo o un encendedor al anochecer, ¡y disfrútelo!

de Navidad, a partir del comienzo del Adviento y a veces hasta después de la Epifanía. Sin embargo las dos noches más activas para las parrandas son Nochebuena y la Noche de Reyes o Epifanía, cuando los cantos duran toda la noche y hasta las primeras horas de la mañana. Las parrandas comienzan cuando una familia va a la casa de su vecino sin avisar, de aquí el nombre de "asalto". Los participantes cantan aguinaldos, un tradicional villancico puertorriqueño notable por sus versos de seis sílabas. También pueden acompañarse de músicos que tocan instrumentos tradicionales como el güiro (hecho de una güira), el triángulo y las maracas. Como premio a su esfuerzo en cantar y tocar, los parrandistas son invitados a la casa a comer platos tan tradicionales como arroz con coco, dulces de papaya, buñuelos, mazapanes y turrones españoles.

Luego los anfitriones se unen a los cantantes, que visitan la próxima casa donde nuevamente son invitados a más comida y bebida. En lugar de champaña, se sirven bebidas alcohólicas tradicionales, como ponche y coquito (la versión puertorriqueña de la *crème de vie*) así como ron y cerveza. El cantar y el comer prosiguen a la cuadra siguiente y usualmente durante toda la noche, extendiéndose hasta el próximo día. Los vecinos con frecuencia se despiertan cuando los cantantes llegan a su puerta. El punto final de la parranda puede que sea el único predeterminado, ya que los cantantes no pueden acabar hasta temprano por la mañana. Los festejos terminan con un desayuno o el sopón tradicional, un caldo espeso de pollo y arroz, en la última ronda al otro día.

En *The Puerto Ricans' Spirit,* la autora María Teresa Babín escribe: "En nuestro léxico existe el verbo *reyar* . . . la costumbre de reunirnos un grupo de parranderos para caer en casa de un vecino, a cuya puerta cantamos una canción típica o un villancico, se mantuvo en los pueblos y en el campo, y persiste hoy, aunque es menos común que anteriormente". Esta práctica está más extendida en Puerto Rico que en los Estados Unidos, pero la importancia de los villancicos, incluido el asalto, y la canción con que los parranderos se anuncian, aún perdura.

INFLUENCIAS MEXICOAMERICANAS

Muchas costumbres mexicanas tales como los tamales, las flores de Pascua y las luminarias ya se conocen en este país y han sido adoptadas como tradiciones norteamericanas. La flor de Pascua (originalmente usadas por los aztecas y también llamadas la flor de Nochebuena) se ha convertido en una institución estadounidense. Aunque su adopción nunca ha sido tan completa como la de la flor de Pascua, las luminarias se han convertido definitivamente en una tradición navideña en el sudoeste de los Estados Unidos, donde también se originaron. Hileras de luminarias a lo largo de carreteras, aceras y calles iluminan simbólicamente el camino de la posada de Navidad—el viaje de María y José a Belén. En efecto, la ciudad de Albuquerque celebra un evento anual de luminarias en Nochebuena llamado *Sun Tran Christmas Luminaria Tour,* que lleva a los participantes en autobuses a lo largo de una ruta con casas y negocios bordeados de luminarias.

Otro importante símbolo cristiano, la Natividad, tiene un papel central en todos los hogares latinos. Para las familias cubanas y puertorriqueñas, arreglar el nacimiento— o el pesebre— es parte del ritual de Nochebuena. Además de arreglar el nacimiento, la tradicional aplicación que hace el mexicoamericano de la Natividad conlleva el relato del viaje de María y José en busca de alojamiento. Esta historia tiene tal significación en la cultura mexicana que ha producido dos fenómenos culturales: la posada y la pastorela.

Una "posada" es un corto desfile de peregrinos que representa el viaje de María y José a Belén y su dificultad en encontrar hospedaje. Suele ser organizada por iglesias individuales situadas en el corazón de vecindarios latinos. En México, donde se originó la tradición, las familias participan en posadas desde el 16 hasta el 24 de diciembre. Al igual que muchas costumbres mexicanas, la posada combina rituales indígenas y cristianos.

"La historia muestra que cuando los frailes españoles que acompañaban a los conquistadores trataron de convertir a los indios mexicanos al catolicismo, se encontraron que la tarea era más fácil cuando incorporaban un elemento clave del sistema de creencias de los indios—la representación", escribe Mercedes Olivera, en un artículo del rotativo *Dallas Morning News* del 17 de diciembre de 1997. Según Olivera, la posada sobrevive hoy prácticamente en su forma original, "debido a que los frailes dividieron la congregación india en peregrinos y posaderos".

En los Estados Unidos, la procesión usualmente tienen lugar

una sola vez, pero, al igual que la procesión mexicana, la posada incluye niños y adultos que llevan velas, que caminan detrás de las figuras de José y María o de individuos que los representan. Animales como la oveja, los burros e incluso camellos, si pueden encontrarse, también se incluyen con frecuencia. La procesión, que sigue una ruta predeterminada, lleva a los participantes a sitios previamente designados, casas por lo general, donde los peregrinos entonan un cántico pidiendo acogida. La procesión luego llega a su destino final, el lugar donde María y José son aceptados. Una vez ejecutado ese ritual, comienza la fiesta. Comida y bebidas, usualmente algo sencillo como caramelos, pan dulce y chocolate caliente, se les ofrecen a los celebrantes mientras los músicos tocan melodías tradicionales.

Semejante a la posada es la "pastorela". Ambas se asocian al nacimiento de Jesús, pero la pastorela es una obra más que una procesión. La obra cuenta otro viaje a Belén, el de los tres pastores; de aquí el nombre de pastorela. En el relato, los pastores comienzan su viaje alegremente, cantando canciones ante la expectativa de ver al niño Jesús, cuya llegada ya les ha sido anunciada por San Miguel Arcángel. A lo largo del camino, se encuentran a otros viajeros, empezando por un sabio eremita que decide unirse al grupo. Su próximo encuentro es más ominoso. El diablo, Luzbel, espera detener a los pastores en su peregrinación y envía a sus demonios con este fin. Ellos tientan a los pastores con dinero y sexo, y cuando eso no funciona, el diablo se convierte en una oveja. San Miguel Arcángel aparece al final para luchar contra el diablo y salvar a los pastores. Derrota a Luzbel y lo envía de regreso al Infierno. La obra termina cuando los pastores llegan a su destino para contemplar al niño Jesús.

La pastorela ofrece a los padres una oportunidad de entretenimiento tanto para reafirmar la cultura, como para imprimir en los niños una moral para vivir, así como el verdadero sentido de la Navidad.

Menú latino de las fiestas

Ninguna fiesta nos toca tanto las fibras del corazón como la Navidad, razón por la cual se ha convertido en una de las más importantes festividades de este país. El atractivo de la fiesta comienza con un mensaje de esperanza y amor, que se manifiesta cada año cuando las familias se reúnen para celebrar la estación. Un elemento esencial de la fiesta es la comida. La Navidad no es sólo especial, es deliciosa.

Cada familia conserva sus propias recetas de fiesta, y la tradicional cocina navideña es también parte integrante de la celebración. Muchas familias latinas han adoptado el menú de Navidad norteamericano, que consiste en pavo, relleno, puré de papas, compota de *cranberry* y pastel de calabaza, pero a lo largo de las fiestas, y en la especialísima Nochebuena, abundan las comidas tradicionales para esa ocasión.

Masa por la Raza

Las familias mexicoamericanas combinan orgullosamente sus raíces estadounidenses y mexicanas en Navidad. Muchas familias cocinan el pavo obligatorio, pero también preparan (algunas prefieren comprarlas) las comidas tradicionales de la celebración mexicana, como tamales, arroz y frijoles. Usualmente los tamales se preparan con semanas de antelación—y por docenas— en un empeño colectivo que se llama una "tamalada". La tamalada usualmente involucra a parientes y amigos que coinciden en una casa para dar una mano en la producción de los tamales. Por su trabajo, cada persona que ayuda suele recibir una o dos docenas de tamales.

El tamal tiene antiguas raíces, remontándose a los aztecas en el siglo XIII. Su nombre original era *tamalli,* que significa "empanada" o "pastel". En *Flavors of Mexico,* la autora Marlena Spieler escribe: "Los tamales fueron servidos por los aztecas, los mayas y otros pueblos indígenas y se vieron grandemente enriquecidos por la introducción española de cerdo y manteca de cocinar".

Teniendo en cuenta sus sencillos ingredientes, masa de maíz molida y carne desmenuzada, y estofado todo ello en una hoja de maíz, este bocadillo es una obra de amor. Los pasos del proceso incluyen preparar la carne, limpiar las hojas, hacer la masa hasta que fluya, embarrar (untar la masa en la hoja), añadir la carne, plegar y cerrar la hoja, sellando la carne y la masa, y ponerlas verticalmente en una olla de manera que puedan cocerse al vapor.

Al igual que las flores de Pascua, los tamales se incorporaron rápidamente a la tradición navideña de muchos hogares. En Dallas, Texas, los restaurantes mexicanos y las fábricas de tortillas se desesperan todos los años por satisfacer la demanda de tamales y de masa. En un artículo del diario *Dallas Morning News,* aparecido el 25 de diciembre de 1998, Jesse Moreno, dueño de la Casa de Tamales "La Popular" en East Dallas, cuenta cómo sacrificó una fiesta apacible para contentar a sus clientes. "Estuve aquí haciendo tamales hasta la medianoche de anoche y volví otra vez a las cinco en punto. La gente simplemente esperaba poder comer los tamales en Navidad, y no podíamos decepcionarlos".

Muchas familias se esfuerzan por transmitir la tradición. Las recetas también han sido modificadas para incluir pollo en lugar de carne, o versiones vegetarianas con sólo frijoles y queso, a fin de atraer a paladares más conscientes de la salud. Ahora hasta existen los tamales con azúcar. "Sólo como parte de la Navidad", dice Moreno. "Es una tradición que significa mucho para nosotros. La razón principal por la que estoy haciendo esto, no es ciertamente por el dinero, es por mis hijos. Quiero que ellos conozcan esta tradición".

PASEN LOS PASTELES

Las familias puertorriqueñas preparan un plato semejante al tamal, pero con variaciones caribeñas. Llamados "pasteles" por la pasta (el corolario de la masa en los tamales) que rodea el relleno, estos bocadillos siguen en gran parte el mismo procedimiento de la tamalada, con sólo unos pocos cambios en la receta. En lugar de hojas de maíz, los pasteles se envuelven en hojas de plátano que se atan. También se rellenan con toda una variedad de compuestos: cerdo, carne molida, frijoles negros, frutas y nueces. El relleno de carne también puede incluir aceitunas verdes o negras, o pasas. Los pasteles tienden también a ser más planos que los tamales, debido a la mayor envoltura de la hoja de plátano comparada con la hoja del maíz, y además no se hacen al vapor, sino que se cuecen.

Otros sabrosos ingredientes de la comida de Navidad de los puertorriqueños incluyen el lechón, arroz con gandules y estofado de chivo o de ternera. Cuando preparan el pavo tradicional, tienen variaciones como la carne y las hortalizas molidas con que hacen el relleno. La preparación de los pasteles también reúne a la familia para producir estas delicias que dan tanto trabajo. Según el chef Oswald Rivera en *Puerto Rican Cuisine in America: Nuyorican and Bodega Recipes,* "Para ser honesto, preparar pasteles es un problema porque consumen mucho tiempo. Una procesadora de alimentos ayuda. Están los que prefieren hacerlos a la antigua, rayando todos los ingredientes a mano. Entre estos incluyo a mi padre y al tío Carlos. Tradición es tradición. Yo prefiero abreviar. De un modo u otro, hacer pasteles es un proyecto, no una tarea rápida".

Los puertorriqueños preparan un ponche de huevo con un toque particular al que llaman "coquito". Los ingredientes básicos son ron oscuro, leche condensada, leche evaporada, yemas de huevo y coco. "En los barrios puertorriqueños, el coquito corre durante las fiestas patronales, y en la Navidad", escribe Rivera. "Cada familia tiene su propia receta. Según mis mayores, en otros tiempos el éxito de una fiestas se medía por la calidad del coquito de la familia".

Una fiesta de Navidad cubana

El ganado y los pavos escaseaban en el Caribe pero, gracias a los españoles, el cerdo no. Por tanto, una celebración de Navidad en las casas de puertorriqueños o cubanoamericanos incluiría el lechón asado, usualmente un cerdito de leche, un mamón. Para los cubanos, esta tradición se compara a los preparativos culinarios en familia, como la tamalada o los pasteles puertorriqueños.

En Cuba y en algunas partes de Miami, donde las familias tienen un traspatio bastante grande el proceso del lechón asado comienza cavando un agujero rectangular en el suelo para asar el cerdo, que se atraviesa con una vara o púa que ayuda a suspenderlo sobre el fuego, al cual se le echan hojas de guayaba para darle sabor. Adobar el cerdo es igualmente esencial. "El ingrediente que le da al lechón su sabor especial es la naranja agria. El limón, la lima o el jugo de naranja pueden ser sustitutos en esta receta, pero la naranja agria le dará al cerdo un sabor distintivo y superior", escribe Linette Creen en *A Taste of Cuba*. La operación comienza en la mañana con los miembros de la familia turnándose para hacer girar el cerdo sobre el fuego. Por la tarde, a los trabajadores se les sirve vino español, de manera que por la noche, cuando el cerdo está listo, el espíritu de fiesta está en plena marcha.

Debido al trabajo que conlleva la preparación del lechón

asado, el componente tradicional de cocinarlo se ha atenuado, especialmente para los cubanoamericanos que viven en Miami, aunque el plato todavía se sirve. "Esa es en gran medida una tradición campesina", dice Carlos Verdecia, director de la revista *Hispanic*. "Hasta en La Habana muchas familias preparaban el cerdo y luego se lo llevaban a un panadero para hornearlo ya que éste tenía un horno bastante grande. Eso es casi lo mismo que en Miami". Para las familias que no tienen el patio, pero que aún quieren asar el cerdo ellos mismos, los miamenses, dice Verdecia, han inventado un aparato que se llama la "caja china", en el cual se coloca el cerdo y luego se voltea periódicamente sobre un fuego abierto.

Además del lechón asado, muchas comidas cubanas incluyen frijoles negros, arroz blanco o "congrí" (arroz con frijoles en cazuela) plátanos fritos, pan cubano y postres como el mazapán español. Uno de los postres más tradicionales es el turrón, que puede prepararse de varias maneras, dependiendo de las nueces que se usen. El turrón de Alicante está hecho de nueces muy duras; mientras el de Jijona resulta más bizcocho que confitura y se hace de la nuez de Jijona que es más suave. Hay también un turrón hecho de almendras y membrillo. Estos dulces españoles por lo general no se hacen en casa, sino que se venden en las tiendas como el pudín de frutas. En el libro de Calvachi Wakefield, *Navidad latinoamericana,* la fiesta [navideña] cubana antes de que Castro la interrumpiera, reflejaba la abundancia de frutas y nueces que se encontraban en la isla. "Se comían alimentos comunes . . . Las nueces y las avellanas eran las partes favoritas de la comida . . . La cena se servía a las nueve de la noche y concluía con todo el mundo tomando vino. Después de la cena, todo el mundo iba a la Misa del Gallo". Sin embargo, muchas familias conservaban la tradición europea de asistir a la Misa del Gallo primero, para cenar después, en las primeras horas de la madrugada.

De las luminarias al lechón asado, las tradiciones navideñas latinas son reflejo de la historia, la geografía y la espiritualidad [de una cultura]. Algunas tradiciones, como la de las flores de Pascua, ya han sido incorporadas a la celebración universal de la Navidad [en los Estados Unidos]. Otras tradiciones, especialmente los platos festivos, pueden resultar más difíciles de incorporar. Para el auténtico aventurero, los libros de cocina pueden brindar recetas, pero asistir a una posada o unirse a una parranda es cerrar con broche de oro una fiesta especial.

La Nochebuena

Al igual que muchas costumbres latinas, la Navidad se ha visto modificada con el curso del tiempo por las tradiciones de los Estados Unidos, y para los cubanoamericanos que dependen de generaciones más viejas para ser los custodios de una tradición, la pérdida es notable. En *Las Christmas,* una colección de recuerdos de Navidad de diferentes autores latinos, Gustavo Pérez-Firmat compara las navidades cubanas de su pasado a las actuales celebraciones que su familia comparte con parientes en Miami.

En Cuba, antes de la revolución, recuerda él, la Nochebuena era el acontecimiento de los adultos, mientras la Epifanía era para los niños. Los niños no recibían ningún regalo el 25 de diciembre, sino el 6 de enero. Su familia ya había adoptado la costumbre norteamericana de adornar un árbol de Navidad, aunque los pinos eran escasos y remotos en Cuba. Las familias ayunaban antes de asistir a la misa de medianoche, y los niños tenían que dormir la siesta para poder estar despiertos durante la misa. Después de misa comenzaba la fiesta, con tragos de ron y bailes de rumba.

En los Estados Unidos, ese horario era un poco más difícil de conservar, sobre todo después de que la mayoría de los miembros de la familia saliera de Cuba y se estableciera en este país. Las generaciones más viejas seguían tratando de recrear las celebracio-

Un villancico de Navidad

Hay muchos villancicos navideños hispanos, como "Las posadas", o "Llegaron ya los Reyes", pero el villancico más popular, tanto en los Estados Unidos como en los países de habla hispana es "Noche de paz" que, compuesto originalmente en alemán, es la melodía por excelencia en casi todo el mundo, de manera que aquí incluimos la letra para los que gusten cantarla en español.

NOCHE DE PAZ

Noche de paz, noche de amor
todo duerme en derredor.
Entre los astros que esparcen su luz
bella anunciando al Niñito Jesús,
brilla la estrella de paz.
Brilla la estrella de paz.

Noche de paz, noche de amor
ved qué bello resplandor
luce en el rostro del Niño Jesús,
en el pesebre del mundo la luz,
astro de eterno fulgor.
Astro de eterno fulgor.

Noche de paz, noche de amor,
oye humilde el fiel pastor,
coros celestes que anuncian salud:
gracias y glorias en su plenitud
por nuestro buen redentor,
por nuestro buen redentor.

nes tradicionales de Cuba que se centraban en la Nochebuena,
mientras sus hijos naturalmente preferían lo que era popular aquí,
Santa Claus y el Día de Navidad. Dice Firmat, "Los cubanos más
viejos, especialmente hombres como mi padre y mis tíos, celebraban la Nochebuena; sus nietos americanos hacían lo mismo en
Navidad . . . Durante estos años de equilibrio, la perspectiva de la
mañana de Navidad hacía que la Nochebuena fuera un poco más
tranquila, y la Nochebuena hacía la Navidad un poco más vivaz".

6 DE ENERO

Día de Reyes

❀ ❀ ❀

Recuperando la Epifanía

*L*a Navidad ha eclipsado casi completamente la fiesta de la Epifanía en los Estados Unidos. Puesto que nuestra sociedad tiende a concentrarse en el gran intercambio de regalos de Navidad, la Epifanía casi ha desaparecido. En algunos centros comerciales la propaganda preliminar para el 25 de diciembre puede comenzar durante la fecha del Día del Trabajo (primer lunes de septiembre). La industria de la Navidad está tan organizada, que durante tres o cuatro meses del año, muy pocos pueden competir. Incluso Halloween y el Día de Acción de Gracias se convierten en simples eventos comparados con el gran acontecimiento de diciembre. Sin embargo, el esfuerzo de mercadeo es tan exhaustivo que a veces cuando llega la fecha, puede resultar anticlimática. Una vez que pasa la temporada de fiestas, sólo nos preocupan las rebajas que siguen a la Navidad y la despedida del año.

Pero así no ocurre en muchos hogares latinos. Para estas familias, que siguen conectadas con todos los eventos de la estación religiosa, la Navidad no es un anticlímax, ni señala el fin de las fiestas. Es meramente el punto culminante de una vigilia que comienza a fines de noviembre, con el comienzo del Adviento, y termina el 6 de enero.

A lo largo de los siglos, los latinos, especialmente las familias puertorriqueñas y cubanas, han conservado la celebración de la Epifanía, o el Día de los Reyes. En Puerto Rico la fecha tiene un papel tan importante en las celebraciones, que se considera un día feriado nacional dedicado particularmente a los niños. Una segunda y más substancial ronda de juguetes se distribuye ese día, simbolizando los dones dados al niño Jesús por los tres reyes o magos.

Los cubanos también observan la Epifanía, pero antes de esa fecha, guardan una interesante tradición de Año Nuevo: se comen doce uvas, una por cada campanada de medianoche. Heredada de los españoles, ésta es una versión singular de las resoluciones de Año Nuevo.

El Año Nuevo trae una experiencia común de oportunidades simbólicas y reales para un nuevo comienzo. Si se extiende el espíritu de la fiesta para incluir la Epifanía o brindar por el Año Nuevo con uvas tanto como con champaña, estas tradiciones hispanas facilitan la transición del desgano que sigue a las fiestas, e instila una nueva energía para el año que comienza.

En Europa, el 6 de enero tiene raíces paganas. En la Inglaterra precristiana, la celebración del 6 de enero señalaba los primeros días soleados de invierno cuando los campesinos podían comenzar a preparar sus campos para la siembra de primavera. Una fiesta pagana llamada la fiesta de la Epifanía, se caracterizaba por ruidosas canciones (para despertar a los árboles y a la vegetación dormida) y el continuo de cerveza muy fermentada llamada *wassail*. William Shakespeare conmemora este festival pagano en su obra *Noche de Epifanía o La duodécima noche (Twelfth Night)*.

La interpretación cristiana del 6 de enero comparte la necesidad pagana de la celebración, aunque con menos fervor. La Epifanía marca el arribo de los tres magos (o los tres reyes), Melchor, Gaspar y Baltasar, a Belén para ver al niño Jesús y ofrecerle sus regalos de oro, incienso y mirra. En los primeros tiempos del cristianismo, la fecha de esta visitación tenía más importancia que la fecha del nacimiento de Jesús.

El concepto del duodécimo día de Navidad no es nuevo. Las civilizaciones cristianas lo han observado durante siglos. En la Iglesia Ortodoxa Griega, la Epifanía se celebra en la misma fecha y se la tiene como una de sus festividades más sagradas. Pero la Iglesia Ortodoxa Oriental sencillamente ha mantenido la importancia de un acontecimiento que solía ser señalado en las comunidades cristianas occidentales. La celebración de la Epifanía conservó su importancia hasta la llegada del siglo XX.

En un artículo publicado en la publicación *The Ecclesiastical Review* en 1938, Dom Albert Hammenstede se quejaba de los primeros signos de decadencia de la celebración. Decía él: "Las festividades navideñas, consideradas desde el punto de vista litúrgico, tiene dos cumbres: el Día de Navidad, el 25 de diciembre, y el de Epifanía, el 6 de enero . . . Esta última fiesta es más antigua que la primera y, considerada históricamente a la luz de las era cristiana primitiva, más importante. Pero la Navidad, la fiesta de la Natividad de nuestro Señor, se ha hecho más cercana a nuestros corazones, y existe incluso el peligro de que en nuestra época la Epifanía pudiera ser subestimada y considerada simplemente como un recuerdo de los tres magos que visitaron la cuna de Belén".

El uso contemporáneo de la palabra "epifanía" significa un momento de súbita claridad, aunque la palabra también significa "la venida o la manifestación, especialmente de un ser divino". Según Hammenstede, la palabra tiene un origen mucho más sagrado. Su raíz es realmente la palabra griega *epifaneia,* y se usaba para describir el momento preciso en que el rey o el emperador se presentaba ante el pueblo. Puesto que los gobernantes se consideraban casi-divinos, su aparición pública era un atisbo no al soberano mismo sino a la divinidad que residía en él. "A partir de esto,—explica Hammenstede—deducimos que la epifanía de Cristo significa la solemne y visible llegada de aquél que, como Dios-Rey, había estado oculto desde toda la eternidad y cuya manifestación visible a sus criaturas uno nunca habría esperado".

Además de la aparición de Cristo, la Epifanía tiene otros tres propósitos: ofrecer un momento para la adoración de Cristo como una manifestación de Dios, apreciarlo como una representación de la raza humana, y reconocerlo como el Redentor. Este cuádruple fin le da a la Epifanía igual—o aun más— significación religiosa que la Pascua. Partiendo de la raíz griega de la celebración, explicaba Hammenstede: "Para ellos [los griegos] la muerte y la resurrección de Cristo era el matrimonio de Cristo con su Iglesia así como la Epifanía de Cristo era el compromiso . . . Ahora entendemos que la estación de Adviento es en primer lugar una preparación para la Epifanía y no para el Día de Navidad".

Al igual que la Epifanía, la Navidad tiene un origen pagano que se remonta a los romanos, los cuales celebraban el 25 de diciembre como la fiesta del *sol invictos* (el sol vencedor). La fecha era la del solsticio de invierno en la cual el sol, que los romanos personificaban, parecía recobrar su fuerza, llenándose de nuevas energías para el resto del año. "Ahora Cristo es la luz, el sol espiritual y divino del mundo", afirma Hammenstede. "Así pues era natural que los primeros cristianos reclamaran el 25 de diciembre como el natalicio de Cristo, porque Él es la luz verdadera que alumbra a todo hombre que viene a este mundo".

Considerando la significación innata de la Epifanía y el hecho de que tanto la Navidad como la Epifanía evolucionaron para incluir la entrega de regalos, el cambio de hacer predominar el 25 de diciembre sobre el 6 de enero se relaciona con su simbolismo. La Epifanía celebra la divinidad de Cristo, mientras la Navidad celebra su humanidad. En Occidente es su humanidad lo que ha impresionado a sus seguidores, que se consuelan con el concepto de una divinidad que fue capaz de la debilidad humana. "El camino oriental es el de la realeza", escribe Hammenstede. "Proclama la primacía del *Logos* sobre el *Ethos*, de la gracia sobre la naturaleza . . . Por otra parte, cuán amable y encantador es el Día de la Navidad . . . ¡El Rey de los Cielos tomó sobre sí un auténtico cuerpo humano! Por su naturaleza humana Él se ha convertido en nuestro hermano según la carne y nuestro más fiel amigo en todos nuestros conflictos terrenales".

LOS LATINOS Y LA EPIFANÍA

Según un artículo publicado en el rotativo *Dallas Morning News* el 6 de enero de 1999, hay un creciente empeño en la Gran Bretaña por revivir el duodécimo día de la celebración de Navidad. En un país donde el sesenta por ciento de la población no va a la iglesia, la Epifanía es vista como un medio de lograr que la gente recuerde la religión. Eso no es necesario en las sociedades latinas. Para ellos, la Epifanía es más significativa que la Navidad, y ese mensaje les fue predicado a los pueblos indígenas por los curas del siglo XVI. Obviamente, no se les ha olvidado. Celebrada desde España hasta Santo Domingo, la Epifanía sigue siendo una importante tradición festiva. No obstante, entre los latinos de los Estados Unidos la tra-

dición se está desvaneciendo, con excepción de los puertorriqueños que conservan la fiesta con gran entusiasmo.

En Barcelona, hombres vestidos como los magos, Baltasar,
Gaspar y Melchor, navegan hasta el puerto de la ciudad la víspera
de la Epifanía, acompañados por una regata de otros barcos, algunos con golosinas, que lanzan sobre la multitud de celebrantes, y
un barco que contiene carbón: un recordatorio para los niños que
se portan mal. En las casas españolas, los zapatos más que los calcetines se dejan en la sala, y en la mañana, se encuentran llenos de
regalos rematados por caramelos un recordatorio más dulce y amable que el carbón. En México, como en España, los zapatos se
ponen fuera el 5 de enero y se cubren de regalos mientras los niños
duermen. Sin embargo, en México el zapato suele ser una sandalia
huarache. Incluso en el remoto pueblo de Sinsinawa, Wisconsin, la
colonia dominicana ha establecido una celebración de Epifanía. La
Iglesia Católica siempre desempeña un papel más visible en este
celebración, que es vista como un momento de "contemplación
más que de comercio".

Pero la colonia puertorriqueña parece ser la que más partido le
saca a la Epifanía. Según María Teresa Babín, autora de *The Puerto
Ricans' Spirit: Their History, Life, and Culture,* "El día de los magos, y
los días sucesivos de la Octava de Belén (los ocho días que siguen
a la Epifanía) tuvieron más esplendor en el pasado que en la
actualidad: los niños recibían sus regalos en la mañana del seis de
enero . . . La Epifanía era realmente Navidad en la isla".

En Puerto Rico, la celebración de los Tres Reyes Magos es una
fiesta nacional. Todos los negocios cierran para permitirles a las familias que disfruten de la fiesta. El 5 de enero, los niños recogen
hierba para alimentar simbólicamente a los animales en que viajan
los reyes. En lugar de ponerla en los zapatos, la hierba se pone en
cajas de zapatos, que se dejan debajo de la cama con la esperanza
de que en la mañana las encontrarán llenas de regalos. "El Año

Nuevo se recibía, como en todo el mundo Occidental, con el júbilo usual del adiós a la Año Viejo", escribe Babín. "Pero la parte más amable de la celebración en nuestra tierra era el festival de los Magos".

Aunque la autora describe el evento como menos espectacular de lo que solía ser, veintiún años después de que Babín escribiera su libro, la celebración de la Epifanía era revivida en Puerto Rico por el gobernador Pedro Roselló. Durante su gobierno, entre 1992 y el 2000, Roselló se preocupó de conservar el pasado cultural de la isla y una parte importante de esa historia incluía la Fiesta de los Reyes Magos. Trabajó para encontrar patrocinadores del proyecto, y una vez que esto se logró, Rosselló se convirtió en un Santa Claus moderno al estilo puertorriqueño. El día de la Epifanía, Rosselló organizó una campaña nacional para dar juguetes. Niños de todas partes de la isla viajaron a la capital, San Juan, para recibir en persona un regalo del gobernador. El proceso tomó todo un día y las colas se extendían por millas, pero, milagrosamente, la paciencia abundó durante el evento.

En comparación con otros grupos—excepto los cristianos ortodoxos orientales que siguen viendo la Epifanía como un acontecimiento esencial—, los puertorriqueños le prestan a la Epifanía la mayor atención. "La Epifanía ha sufrido en la diáspora, dice Manuel Ortiz, un asesor establecido en Nueva York y nativo de Juayama, Puerto Rico. "Debido a la presión que hay en este país para celebrar la Navidad, la Epifanía no se celebra con el mismo alcance".

En la isla, el asalto mercantil de la Navidad no se ha ignorado, pero "la verdadera Navidad sigue siendo la Epifanía", dice Ortiz. En la actualidad, los niños reciben un pequeño regalo el 25 de diciembre, y para no sentir que se quedan fuera, los adultos también eligen intercambiar regalos ese día. Pero los mejores regalos para los niños se reservan para la Epifanía. El 6 de enero ha llegado a centrarse completamente en los niños, dice Ortiz. "En Puerto Rico, no existe confusión entre los Tres Reyes y Santa Claus".

Muchos latinos conservan gratos recuerdos de la fiestas de los Tres Reyes. En *Las Christmas: Favorite Latino Authors Share Their Holiday Memories* (Alfred A. Knopf: Nueva York, 1998), la autora puertorriqueña Esmeralda Santiago describe el rito anual que su familia representaba para la fiesta de los Tres Reyes. "La noche antes de que vinieran los tres magos, mis hermanas, mi hermano y yo buscábamos por el arroyo las hojas de hierba más tiernas para dejarlas en nuestros zapatos para los camellos de los magos. Poníamos los zapatos debajo de nuestras camas, con las puntas que sobresalían para que los magos pudieran verlos. Yo me despertaba cuando todavía era oscuro. Dos sombras se movían alrededor del cuarto llevando paquetes en las manos. Yo cerraba los ojos rápidamente. Deben de ser dos de los magos, pensaba, mientras el tercero se queda afuera con los camellos".

Hay una celebración cada año en la ciudad de Nueva York iniciada en 1976 por el Museo del Barrio, un museo que se especializa en arte y cultura latinas. La celebración y el museo fueron puestos en mancha por un grupo de artistas y educadores que sentían la necesidad de recuperar e institucionalizar la fiesta para la colonia hispana, especialmente para los niños, dice Miriam de Uriarte, coordinadora del currículo en el museo. El programa de los Tres Reyes del museo comienza en noviembre, cuando se ofrecen talleres para hacer santos de palo, una talla tradicional de figuras religiosas en madera. Los santos se convertirán en parte de una celebración doméstica de Navidad, colocados junto al nacimiento o separadamente en un altar de la casa.

El museo trabaja estrechamente con las escuelas de la zona, que también traen a los niños a visitar el museo para ver su colección de más de 600 santos. Según se acerca el 6 de enero, los niños participan en clases en el museo, donde hacen coronas, capas, u otras piezas de ropa para usar en el Desfile del Día de los Reyes. También se organizan talleres para hacer juguetes que se distribuyen a los niños en el desfile. "Todo se prepara para el desfile, en el que participan más de 2.500 niños", dice Uriarte.

De las diferentes agrupaciones comunitarias se seleccionan tres "magos" para que presidan el desfile. Los músicos viajan en un camión acompañando a los niños que caminan una milla y media. La procesión dura alrededor de dos horas y termina en el museo. El museo también trabaja con el Zoológico del Bronx, que alquila los camellos y una oveja para participar en el desfile. Los primeros 600 niños que se apuntan para participar en el desfile son invitados al teatro del museo donde reciben sus regalos.

Según Chiori Santiago, en un artículo de la revista *Latina,* Santa Claus es una invención muy reciente. Data aproximadamente de 1873, cuando se publicó el poema "Una visita de San Nicolás" ("A Visit from Saint Nicholas") de Clement Clarke Moore. El concepto

Una caja de sueños

El Día de los Reyes es una fiesta para los niños latinos. El ritual básico de los tres reyes es la caja de zapatos llena de hierba para los camellos. Los niños pueden escoger cualquier caja de zapatos y pueden incluso adornarla específicamente para Navidad y volverla a usar cada año. Una carta para los tres reyes, que sigue el modelo de las cartas a Santa Claus, puede agregarse, y un tazón o latas de agua también pueden ponerse para los camellos. Al igual que los bizcochos mordisqueados de Santa Claus y el vaso de leche vacío prueban que él estuvo allí, los tres reyes y sus camellos no dejan rostio de la hierba y el agua, demostrado así que pasaron por allí, ¡aunque ciertamente sólo en los hogares de los niños buenos! ¡Feliz día de los Reyes Magos!

El brindis de la uva

Banderolas, cohetes, campanas, silbatos y brindis con champaña le han dado tradicionalmente la bienvenida al Año Nuevo en los Estados Unidos, pero en Miami, los cubanoamericanos celebran con algo inesperado—las uvas. El origen de la tradición viene de España, donde también se practica como costumbre de Año Nuevo. Esta tradición no se limita exclusivamente a los cubanoamericanos, pero se practica de manera más uniforme en esa colonia. La razón de que los cubanoamericanos compartan esta tradición resulta más obvio de lo que puede parecer. "Cuba es la [nación] más española de toda Latinoamérica", dice Lisandro Pérez, profesor de sociología de la Universidad Internacional de la Florida en Miami. "Fue allí (y en Puerto Rico) donde España se mantuvo por más tiempo, hasta 1898, y hay muchos cubanos que son descendientes de españoles de primera y segunda generación". Al igual que el brindis con uvas, muchas otras costumbres españolas conservan gran interés para los cubanoamericanos y hasta se han perpetuado, a veces exclusivamente, en este grupo hispano.

El origen del brindis de la uva es menos claro. Aunque parece ser español, otros teorizan que proviene de una tradición romana asociada con el dios Baco. José Zavada, vicepresidente ejecutivo de la compañía Hiram Walker en Ciudad México y natural de España, especula que el brindis de la uva está relacionado con el vino y la fiesta de Baco, el dios del vino. "En la tradición de las bacanales, que se celebraban para traer buena suerte y buenas cosechas, creo que el brindis de la uva nació de la misma intención", dice Zavada.

La costumbre procede de este modo: cerca del toque de medianoche, los miembros de la familia reúnen sus vasos y los llenan con doce uvas. El número de uvas significa los doce meses del año que ha pasado y los doce meses del año que está por llegar. Al toque de medianoche, todo

(continúa)

el mundo brinda con un "¡Salud!", y se comen las uvas, idealmente antes de que el reloj marque las 12:01 de la mañana. "Recuerdo que era muy importante, especialmente para los viejos, comerse las uvas rápidamente, para la buena suerte", dice Pérez.

Un brindis de Año Nuevo es un deseo de buena suerte en el año que comienza. Hacer resoluciones de Año Nuevo expande el deseo de un próspero año nuevo, al agregarle algunas metas. La ruidosa tradición de la Noche Vieja, que incluye banderolas, campanas y silbatos fue tomada de las celebraciones que simbólicamente le dan la bienvenida al recién nacido Año Nuevo, y la champaña completa esta atmósfera de fiesta. La celebración del Año Nuevo tiene como finalidad aumentar la suerte, la energía positiva y el buen *karma* en el año que llega, de manera que un elemento más como el brindis de uvas, puede servir para aumentar las vibraciones positivas.

de dar regalos realmente se originó con los tres reyes, y para las familias que escogen aplazar su ritual de dar los regalos, la celebración de la Epifanía puede ayudar a superar la comercialización del 25 de diciembre y prestarle un poco más de sentido al don de dar.

Bibliografía escogida

Babín, María Teresa. *The Puerto Ricans' Spirit: Their History, Life, and Culture.* Nueva York: Macmillan Publishing Co., Inc. 1971.

Castillo, Ana. *Massacre of the Dreamers.* Albuquerque: University of New Mexico Press, 1994.

Dunnington, Jacqueline Orsini. *Guadalupe: Our Lady of New Mexico.* Santa Fe: Museum of New Mexico Press, 1999.

Elyjiw, Zenon. "Ukrainian Pysanka: Easter Eggs as Talismans". *The Ukranian Weekly,* 16 de abril de 1995.

Falcón, Rafael. *Salsa: A Taste of Hispanic Culture.* Westport, Connecticut: Praeger Publishers, 1998.

Francis, Mark y Arturo J. Pérez-Rodríguez. *Primero Dios: Hispanic Liturgical Resource.* Chicago: Liturgy Training Publications, 1997.

González-Pando, Miguel. *The Cuban Americans.* Westport, Connecticut: Greenwood Press, 1998.

Gutiérrez, Héctor. "Big Bash on Tap for Columbus Day". *Denver Rocky Mountain News,* 10 de octubre de 1997.

Hammenstede, Dom Albert. "Christmas and Epiphany: The Western and the Eastern Way". *The Ecclesiastical Review,* Enero de 1938.

Harvey, Marion. *Mexican Crafts and Craftspeople.* Cranbury, Nueva Jersey: Associated University Presses, 1987.

Krauze, Enrique. *Mexico: Biography of Power.* Nueva York: Harper Collins, 1997.

Martínez, Ylena. "Crackin' Cascarones". *Hispanic,* Marzo de 1996.

Meléndez, Father Michael. "The Blessed Virgin Mary, Mother of the

Divine Providence Puerto Rico". Flushing, Nueva York: Saint Michael's Parish, n.d.

Murgoei, Agness. "Rumanian Easter Eggs". *Folklore* 20 (1909).

Ojito, Mirta. "Reason to Celebrate, Twice, for Columbus: Hispanic and Italian Parades Staunchly Stake Their Claim on Fifth Avenue". *The New York Times,* 14 de octubre de 1996.

Olivera, Mercedes. "Posada brings to Life Mary and Joseph's Search for Lodging". *Dallas Morning News,* 17 de diciembre de 1997.

Olson, James, and Olson, Judith. *Cuban Americans: From Trauma to Triumph.* Nueva York: Twayne Publishers, 1995.

Oxford Dictionary of Saints. Nueva York: Oxford University Press, 1981.

Pérez, Miguel. "Dreaming of Navidad". *The Record* (Condado de Bergen, Nueva Jersey), 22 de diciembre de 1993.

Pérez-Firmat. "Goodnight to Nochebuena." En *Las Christmas: Favorite Latino Authors Share Their Holiday Memories.* New York: Alfred A. Knopf, 1998.

Poole, Stafford. *Our Lady of Guadalupe: The Origins and Sources of a Mexican National Symbol.* Tucson: The University of Arizona Press, 1995.

Preet, Edythe. "Ancient Role of Eggs in Religion Still Unbroken". *Washington Times,* 31 de marzo de 1999.

Ramírez, Marc. "It's My Party, and I Can Splurge if I Want To". *New Times* (Phoenix, Arizona), 15 de junio de 1994.

Rivera, Oswald. *The Nuyorican Cookbook.* Nueva York: Four Walls, Eight Windows, 1993.

Rodríguez, Jeanette. *Our Lady of Guadalupe: Faith and Empowerment among Mexican-American Women.* Austin: University of Texas Press, 1994.

Rosoff Biemler, Rosalind. *The Days of the Dead / Los Días de Muertos.* Photographs by John Greenleigh. San Francisco: Collin Publishers, 1991.

Salcedo, Michele. *Quinceañera.* Nueva York: Henry Holt and Company, 1997.

Santiago, Chiori. "El Día de los Reyes". *Latina,* Diciembre de 1997.

Santiago, Esmeralda. "A Baby Doll Like My Cousin Jenny's". En *Las Christmas: Favorite Latino Authors Share Their Holiday Memories.* Nueva York: Alfred A. Knopf, 1998.

Sommers, Laurie Kay. "Symbol and Style in Cinco de Mayo". *Journal of American Folklore* 98, No. 390 (1995).

South East Pastoral Institute (SEPI). "Las advocaciones marianas en la religiosidad popular latinoamericana". *Documentaciones sureste,* Febrero de 1996.

The National Institute of Hispanic Liturgy. *Gift and Promise Customs and Traditions in Hispanic Rites of Marriage.* Portland: Oregón Catholic Press, 1997.

Tweed, Thomas A. *Our Lady of the Exile: Diasporic Religion at a Cuban Catholic Shrine in Miami.* Nueva York: Oxford University Press, 1997.

Vizcaíno, Father Mario, Sch P. *La Virgen de la Caridad—Patrona de Cuba.* Miami: Instituto Pastoral del Sureste, n.d.

Wakefield, Charito Calvachi. *Navidad latinoamericana/Latin American Christmas.* Lancaster, Pennsilvania: Latin American Creations Publishing, 1997.

Sobre la Autora

esde 1994, **Valerie Menard** ha dirigido la revista *Hispanic*, una de las publicaciones latinas de tirada nacional más antiguas de los Estados Unidos. Colabora también como escritora independiente con las revistas *Estylo, Latin Heat, Vista* y *Frontera*. Antes de eso fue, durante cinco años, directora ejecutiva de *La Prensa*, un periódico bilingüe que se edita en Austin. Nacida en Glendale, California, y criada en San Antonio, Texas, Valerie Menard vive actualmente en Austin, Texas.